한국기업을 위한
위한

경쟁과 상생의 글로벌 경영

스마트
국제경영

한국기업을 위한
스마트 국제경영

초판인쇄 2018년 6월 15일
초판발행 2018년 6월 15일

지은이 최순규 외
펴낸이 채종준
기 획 이아연
편 집 박미화
디자인 김정연
마케팅 송대호

펴낸곳 한국학술정보(주)
주소 경기도 파주시 회동길 230(문발동)
전화 031 908 3181(대표)
팩스 031 908 3189
홈페이지 http://ebook.kstudy.com
E-mail 출판사업부 publish@kstudy.com
등록 제일산-115호(2000. 6. 19)

ISBN 978-89-268-8459-1 93320

한국기업을 위한
위한

경쟁과 상생의 글로벌 경영

스마트
국제경영

최순규 외 지음

이담 Books

추천사

1

과거 수십 년 동안 한국 경제의 고도성장을 이끌어왔던 한국 대기업들은 최근 세계시장에서 여러 난관에 봉착해 있다. 한국기업들이 세계시장을 선도해나가면서 기존 선두 기업들의 견제와 후발 기업들의 맹렬한 추격을 동시에 뿌리쳐야 하는 상황이다. 그리고 한국이 선진국으로 도약했단 인식이 국제적으로 확산하면서 한국기업에 요구되는 사회적 책임 또한 막중해지고 있다. 이러한 대기업의 상황과는 달리 국내에서 고용 창출의 절대적인 비중을 창출하고 있는 중소기업의 국제화는 매우 부진한 편이다. 작은 내수시장에서 벗어나 세계시장에 성공적으로 진출하지 못한 중소기업의 경우, 저성장과 부진한 일자리 창출이라는 문제를 안고 있다. 이처럼 한국 대·중소기업들의 국제경쟁력 제고와 사회적 책임 완수가 최근 큰 화두로 떠오르면서 한국기업의 국제경영 전략과 사회적 책임 모델을 재검토하여 현업에 적용할 수 있는 산지식을 창출하는 것이 필요한 때이다.

다행히도 대외적으로 크나큰 도전에 직면한 한국기업들에 단비와 같은 산지식이 담긴 저서, 『한국기업을 위한 스마트 국제경영』이 출간되어 기쁘게 생각한다. 이 책의 학계 및 업계에 대한 공헌은 국제경영, 브랜드, 마케팅, 사회적 책임 등에 대한 이론을 단순히 설명하는 데에 그치지 않고 이론과 관련된 실제 한국기업들의 실제 사례들을 상세히 소개함으로써 한국기업의 성공적인 국제화와 사회적 기업으로서의 위상 제고에 필요한 실질적인 제언을 한다는 점이다.

한국기업들이 해외시장에서 리더로서의 자리를 굳건히 하고 새로운 시장을 개척하는 해법과 사회적 책임을 완수하는 세계적 기업으로 거듭나는 방안을 찾고 있다면, 이 책을 반드시 일독해 보길 바란다. 이 책을 통해서 한국 경제를 이끄는 대기업들과 한국 경제의 주춧돌인 중소기업들이 국제화의 선봉장이 되어 한국 경제와 청년들에게 큰 꿈을 심어 주기를 기대한다.

신건철, 한국국제경영학회 회장

2

무한경쟁의 시대인 지금 그 어느 때보다도 글로벌 경쟁력이 한국기업에게 필요한 시점이다. 이 책은 이러한 시기에 한국기업들이 해외시장에 성공적으로 진출하고 지속적으로 생존하는 데 꼭 필요한 국제경영 역량과 사회적 책임 수행 능력을 갖추기 위한 전략을 다뤘다는 점에서 의의가 있다.

그동안 한국기업의 국제경영에 관해서 다수의 책이 있지만, 이 책은 기존 도서와 다른 점이 있다. 한국기업이 해외진출을 위해 펼칠 수 있는 전략을 사례를 통해 실무적으로 접근하였으며, 특히 한국 대기업에 치우친 전략이 아니라 대기업과 중소기업의 상생을 바탕으로 한 균형 잡힌 전략을 제안했다는 점에서 특별하다. 대기업에 치우친 국제경영 전략을 제안하는 것에서 벗어나 한국 경제의 견인차 역할을 하는 중소기업의 국제적 경쟁력을 함께 다뤘다는 점에서 그 의의가 매우 크다.

따라서 이 책을 통해 한국 대기업과 중소기업은 세계적인 기업으로 성장할 수 있는 전략적 해법을 터득하고 실무적 시사점을 얻을 수 있을 것이며, 한국 대기업과 중소기업이 동반 성장할 수 있는 원동력이 되기를 기대한다. 아울러, 해외 현장에 근무하는 경영인들에게도 글로벌 스마트 경영을 위한 길라잡이로 자리매김할 것으로 기대한다.

최흥연, 베트남 한인상공인연합회 상임부회장

머리말

다수의 한국기업이 해외시장에 진출하면서 성공적인 국제화를 위한 전략과 방법에 대한 필요성이 커지고 있다. 하지만 그러한 기업들의 요구를 만족시켜 줄 만한 현실성 있는 연구가 부족한 상황이다. 국제경영 학자들이 출판한 연구서와 논문들은 학문적 가치가 있지만 기업 경영자가 실무에 적용하기에는 내용이 난해하고 현실성이 부족하다. 국제경영학 교재들도 다수 발간되어 있지만 대부분 외국에서 개발된 이론과 사례를 기반으로 저술되어 한국기업의 실정을 반영하지 못한다. 이 책은 학계와 기업 간에 존재하는 간격을 좁히고, 한국기업들에 보다 현실적인 국제화 전략과 실천 방안을 제시하기 위하여 기획되었다.

필자들이 제시하는 국제화 전략은 기본적으로 경쟁력 강화와 상생이라는 두 가지 축을 근간으로 한다. 그동안 한국기업들은 후발주자로서 선진 외국기업들을 추적하는 데 주력해왔다. 경영자와 직원들이 협력하여 많은 노력을 기울인 덕분에 오늘날 한국은 삼성전자, 현대자동차 등과 같은 글로벌 기업들을 가지게 되었고, 대중들에게는 잘 알려지지 않았지만 해외시장에서 뛰어난 성과를 올리는 여러 중소기업들도 존재한다. 하지만 그간 후발주자로서 선진기업들을 추적하는 데 주력하다 보니 기업의 사회적 책임과 상생에 대해서는 많은 관심을 기울지 못한 것이 사실이다.

오늘날 빈부격차, 지구온난화, 환경파괴 등과 같은 사회적·환경적 문제들이 심각해지고, 인터넷, SNS 등과 같은 통신기술의 발달로 기업 정보가 빠르게 대중에게 전달되면서 기업의 사회적 책임에 대한 요구는 점점 더 커지고 있다. 더욱이 한국기업들의 국제적 활동이 증가하면서 해외 미디어에 빈번히 노출되고 세계 각국의 지역사회와 경제에 미치는 영향이 커지고 있으므로 그러한 위상에 걸맞은 책임을 수행하라는 국제적 요구 또한 증가할 것이다. 따라서 한국기업들이 글로벌 시장에서 지속적인 경쟁력을 유지하기 위해서는 국제적 경쟁력을 강화함과 동시에 사회적 책임을 효과적으로 수행하는 방안을 개발할 필요가 있다.

이러한 필요성을 인식하고 필자들은 지난 3년간 한국 연구재단으로부터 재정적 지원을 받아 '한국기업의 글로벌 리더십 확보'를 위한 전략을 연구해왔다. 이 책에서는 그동안 수행한 연구결과를 바탕으로 한국기업들이 실무적으로 유용하게 적용할 수 있는 국제경쟁력 강화 전략 및 상생 전략을 제시하고자 한다. 국제경쟁력에 대해서는 성공적 국제화에 필요한 국제경영 역량, 신흥시장 진입 전략, 한국적 경영의 글로벌화 방안, 국제적 R&D 전략 등을 고찰하였고, 상생에 대해서는 국제적인 사회적 책임 수행을 위한 적절한 사회적 이슈 선정 및 실행 방법을 이론과 사례를 통하여 상세히 설명하였다. 특히 우리나라 중소기업들이 대기업에 비해 경험과 자원의 부족으로 해외시장 진출에 어려움을 겪고 있다는 점을 고려하여, 중소기업의 해외시장 개척 전략, 브랜드 전략, 대기업과 상생적 제휴 전략 등을 설명하는 데 많은 지면을 할애하였다.

이 책의 중요한 특징은 국제경영, 브랜드, 마케팅, 사회적 책임 등에 대한 이론을 소개하는 데 그치는 것이 아니라, 실제로 한국의 대기업과 중소기업들이 해외시장에 진출하면서 겪었던 생생한 사례들을 소개함으로써 기업 실무자에게 도움이 될 수 있는 실천적인 지식과 정보를 제공하는 데 있다. 따라서 글을 읽으면서 성공적인 해외진출을 위한 주요 전략과 방법을 학습하는 동시에 실제

로 해외시장 개척에 적용할 수 있는 산지식을 획득할 수 있을 것이다. 아무쪼록
이 책이 한국기업들이 해외시장에 성공적으로 진출하고, 계속해서 우수한 성과
를 거둘 수 있도록 국제경영 역량과 사회적 책임 수행 능력을 배양하는 데 일조
하기를 바란다.

최순규

이 저서는 2015년 대한민국 교육부와 한국연구재단의 지원을 받아 수행된 연구임(NRF-2015S1A3A2046811)

차례

대기업 경쟁우위 확보를 위한 글로벌 경영

최순규(연세대 경영대학 교수)
강지훈(연세대 국제경영 박사과정 수료)

세계의 빅 마켓인 중국,
최근 생산기지로 떠오르는 베트남,
아시아의 물류 중심지인 태국을 중심으로
세계시장에 진출한 한국기업들의 성공전략을 분석한다.

1.1
성공적인 해외시장 진출을 위한
국제경영 역량의 조건

급변하는 세계시장 속
기업 간 경쟁

2008년 미국 조지 W. 부시 대통령은 미국 워싱턴에서 개발도상국의 지도자들과 함께 첫 번째 정상회담을 개최하였다. 당시 세계경제는 대공황 이후 최악의 금융 위기에 직면했을 때였고, 그들은 정상회담을 통해 경제개방정책과 보호주의 거부를 선언하면서 고립주의로 회귀하지 않겠다고 약속했다. 하지만 고작 10년도 지나지 않은 현재 미국 트럼프 대통령은 환태평양경제동반자협정TPP 탈퇴, 미국-멕시코 간 국경장벽 건설 추진, 북미자유협정NAFTA 및 한·미 자유무역협정FTA의 재협상, 수입 철강 제품에 대한 일률적 관세 부과 등 자국 우선주의에 기반을 둔 보호무역정책들을 쏟아내고 있다. 이에 맞서 유럽연합EU와 중국 등은 보복관세 또는 자국 내 진출한 해외 기업들에 불이익을 주는 방안 등을 검토하고 있다. 이처럼 글로벌 경영환경은 예측할 수 없을 만큼 빠르게 변하고 있고, 협력과 통합보다는 자국의 이익만을 추구하는 각자도생各自圖生의 사회로 수렴하고 있다.

2013년 영국의 경제전문지인 『이코노미스트The Economist』는 세계 경제상황을 'The Gated Globe', 즉 글로벌화의 큰 흐름 속에서 각국 정부가 시장 진입을 막는 문지기 역할을 하고 있다고 진단하였다[1]. 실제 2001년에 시작된 도하라운드가 교착상태에 빠진 이후 자유무역을 위한 국제적인 무역협상은 중단된 상태이며, 최근 주목받고 있는 세계경제포럼(다보스포럼) 역시 민간 재단이 주최하는 회의로서 그 구속력이나 파급력이 약하다는 평가를 받고 있다.

하지만 각 국가의 문턱이 높아진다고 해서 기업 간의 경쟁이 약해진 것은 아니다. 오히려 기술의 발전으로 인해 기업 간 경쟁은 더욱 치열해지고 있다. 예컨대, 과거에는 단순히 자국 내 기업끼리 경쟁하는 데서 머물렀으나, 새로운 통신 기술과 수송 기술이 고안되면서 점점 더 다양한 국적의 기업들과 경쟁하게 되었다. 또한 휴대폰 산업에서 스마트폰이 개발됨에 따라 전자사전, 종이 지도, 공중전화 등이 사라지는 것처럼 이전에는 전혀 예상하지 못한 산업으로부터 위협 또는 견제를 받기도 한다. 미국의 경제전문지 『포춘Fortune』은 매년 전 세계 기업들의 매출액을 기준으로 500대 기업을 선정하는데, 1990년에 선정된 기업 중 20년이 지난 현재까지 순위권을 유지하고 있는 기업은 20%가 채 되지 않을 정도로 전 세계시장의 기업 간 경쟁은 치열하다. 한국기업들 역시 치열한 경쟁으로 인해 대기업은 평균 29.1년, 중소기업은 평균 12.3년에 불과한 수명을 가지고 있다[2]. 갈수록 치열해지는 세계시장 속에서 기업들은 어떤 역량을 갖추어야 할 것인가?

국제경영 역량의 조건

기업이 시장에서 살아남고 성장하기 위해서는 당연히 경쟁력을 가지고 있어야 한다. 이는 일반적으로 우수한 제품과 서비스 개발 능력, 마케팅 능력 등을 갖추어야 한다는 것을 의미한다. 하지만 글로벌 시장에서의 경쟁은 국내보다 치열하고 국내와는 다른 여러 가지 요인들, 예를 들면 문화적 차이가 존재하기 때문에 국내에서 성공했다고 해서 해외시장에서도 성공한다는 보장은 없다. 기업이 글로벌 시장에서 성공하기 위해서는 '국제경영 역량'을 갖출 필요가 있는 것이다.

그렇다면 글로벌 시장에서 필요한 역량은 무엇일까? 이와 관련한 많은 연구들이 존재하지만, 국제경영 전략의 대가인 바틀렛Bartlett과 고샬Ghoshal이 1989년 저서 『Managing Across Borders: The Transnational Solution』에서 제시한 '초국가적 기업transnational company' 모델이 국제경영 역량을 가장 잘 설명하고 있다[3]. 그들은 12개 이상의 대규모 다국적기업에 근무하는 236명의 경영자들과의 인터뷰를 진행한 결과 글로벌 시장에서 성공하기 위한 세 가지 조건으로 글로벌 효율성, 현지 대응, 글로벌 학습을 찾아내었다(그림 1).

▨ 그림 1. 국제경영 역량의 세 가지 조건

Bartlett & Ghoshal(2002)

17

글로벌 효율성global efficiency

글로벌 효율성의 중요성이 대두한 것은 범세계 소비자들의 탄생에서 비롯한다. 1970년대 이전에는 각 국가에서 관세율 부과 등 보호무역정책을 펼쳤기 때문에 국가 간 무역에 장애 요인들이 많았다. 하지만 제2차 세계대전 이후 관세 및 무역에 관한 일반 협정GATT, 세계무역기구WTO 등과 같이 자유무역 신장을 위한 국제 조약과 기구가 출범하면서 각기 나누어져 있던 시장들이 하나의 글로벌 시장으로 빠르게 통합되어 갔다. 시장이 점차 통합되어 감에 따라 국가별 소비자들의 취향과 욕구 역시 범세계적으로 동질화되는 경향을 띠었다. 더욱이 통신과 운송 기술의 발달로 소비자들은 국내 상품을 포함해서 전 세계에 판매되는 모든 제품과 서비스의 가격을 비교·구매할 수 있게 되었다. 이로 인해 국내 경쟁사뿐만 아니라 해외 기업들과도 가격경쟁이 치열해지면서 글로벌 시장에서 살아남기 위해서는 가격을 낮추기 위한 비용절감이 필수요소가 되었다. 비용을 줄이기 위해서는 기업의 효율성을 높여야 하는데 이는 다음과 같은 방법들을 통해 달성할 수 있다.

먼저 제품과 서비스를 표준화하고 생산 시설을 효율화시켜야 한다. 특히 산업재, 원자재, 그리고 일부 첨단 제품과 같이 전 세계를 무대로 동일한 제품을 판매하기 용이한 산업들은 원자재 생산비용이 저렴하거나 노동비용이 낮은 국가에 대규모 공장을 건설하는 것이 유리하다. 생산 시설을 한 곳에 집중할 경우 경험이 빠르게 쌓이면서 불량률 하락, 생산활동의 안정화, 자원 낭비의 감소 등 여러 가지 긍정적 효과가 발생하고 최종적으로는 '규모의 경제economies of scale'를 달성할 수 있기 때문이다. 산업 특성상 제품이나 서비스를 완전히 표준화하기 힘든 경우 본사는 해외 자회사에 대한 지휘와 통제를 강화하고 긴밀한 상호협조를 통해 지속적으로 경영과 생산의 효율성을 높여 나가도록 노력을 기울여야 한다.

예를 들어 삼성전자는 2009년 베트남 북부 박닌Bắc Ninh 지역에 대규모 공장을 설립하여 자사 휴대폰 생산의 절반을 담당하도록 하였다. 삼성전자의 우수한 생산기술과 베트남의 저렴한 인건비가 결합하면서 이 공장은 삼성전자 휴대폰의 가격경쟁력 확보에 크게 기여하고 있다. 현대자동차의 경우도 1990년대 국내 인건비 생산으로 소형차 생산비용이 상승하여 가격경쟁력을 유지하기 어려워지자, 1998년에 인도 첸나이_{Chennai}에 공장을 설립하고 소형차 생산 설비를 이전하였다. 그 후 인도 공장은 큰 성공을 거두어 현대자동차의 저렴한 소형차 생산기지로서 중요한 역할을 담당하고 있다. 미국 기업 P&G의 경우 1990년대부터 글로벌 시장에서 가격경쟁이 치열해지자 생산 효율성을 높이기 위해 해외 공장들을 통폐합하여 대형화하고 기존에 방만했던 제품 포트폴리오를 축소ㆍ전문화하는 사업개편을 대대적으로 추진한 바가 있다.

현지 대응_{regional responsiveness}

현지 대응이란 해외시장에 진출해서 현지 환경에 맞춰 기업을 유연성 있게 운영하는 것을 말한다. 앞서 언급한 대로 개별 국가 시장들이 통합되며 글로벌 시장이 확대되고 있는 것은 분명하지만, 여전히 국가별 시장 구조와 소비자 성향이 상이한 것도 사실이기 때문에 현지 대응 역시 소홀히 해서는 안 된다. 또한 글로벌 기업이 외국 시장에 진입할 경우 현지 기업들이 제공하는 제품이나 서비스와 경쟁을 해야만 하는데, 이미 현지 제품에 적응된 소비자들의 마음을 되돌리기 위해서는 현지 상황을 어느 정도 고려해야 한다. 본사 역시 지리적ㆍ문화적 거리로 인해 현지 시장에 부합하는 마케팅과 광고를 제작하기 힘든 만큼 분권적 조직구조를 통해 자회사 내 현지 경영자들에게 권한을 부여해야 한다. 이를 통해 자회사는 자신들의 자원을 어떻게 활용할지를 독자적으로 판단하고 보다 유연하게 현지 경쟁사의 견제와 소비자의 요구에 대처할 수 있게 된다. 생산 측면에서도 과거 기업들은 인건비가 싼 한 국가에 대규모 공장시설을 짓고 그곳에서 전 세계에 유통할 제품을 모두 생산하는 방식을 고수했다. 하지만 최근에는 해외시장을 유사한 지역별로 분류한 뒤 몇 개의 지역군으로 나누고, 지역군마다 각기 다른 공장을 설립하는 방식을 선택하고 있다. 이 방식이 현지 소비자들의 요구와 시장 트렌드를 더 신속하게 반영할 수 있기 때문이다.

국내 유통업계의 선두기업인 이마트는 1997년 중국 유통산업에 발 빠르게 진출했지만 현지 시장에 적절히 대응하지 못해 결국 실패했다. 중국 소비자들은 불량식품이나 재료에 대한 불신으로 고기와 생선을 살 때 직접 만져보고 구매하는데, 이마트는 한국과 마찬가지로 비닐포장을 해서 판매하는 등 현지 소비자들의 성향을 제대로 파악하지 못했다. 그 외에도 중간 도매상과의 밀접한 관계를 유지하는 데 실패하고, 이미 현지에 진출해 있는 글로벌 기업들의 견제 등으로 인해 이마트는 진출 20년 만에 중국 시장에서 철수했다.

반면, 중국에 진출한 현대자동차는 2007년 글로벌 경제위기의 영향으로 자동차 판매가 급감하자 중국 사업을 전면적으로 재검토했고, 그 결과 제품과 마케팅을 현지화함으로써 위기를 극복할 수 있었다. 예를 들어, 2008년에 아반떼를 현지화하여 출시한 중국형 모델인 '엘란트라 위에둥悦动'은 국내 모델보다 차체 길이, 너비, 높이를 각각 17㎜, 50㎜, 60㎜ 크게 설계했고 고급 승용차라는 느낌을 주기 위해 크롬 도금을 했다. 이는 차체가 크고 번쩍이는 외양의 차를 좋아하는 중국인들의 기호에 따른 것이었다.

글로벌 학습global learning

마지막으로 글로벌 기업의 성패는 해외시장의 끊임없는 학습을 통한 혁신에 달려 있다. 기술의 발전 속도가 점점 빨라지는 만큼 제품의 수명주기product life cycle 역시 짧아지고 있기 때문에 혁신적 제품을 계속해서 창출하지 않으면 기업은 시장에서 도태되고 만다. 이때 새로운 핵심 역량을 모회사에서만 창출하는 것이 아니라 해외 자회사에서도 개발하고 이를 전사적으로 사용하는 것이 중요하다. 각국 시장마다 제도와 환경이 다르므로 해외 자회사들은 지역에 맞는 새로운 제품과 기술 개발을 통해 혁신을 달성할 수 있다. 이러한 혁신을 통해 시장을 선도하게 되면 주변의 다른 자회사나 본사에 이를 전파하고 또 다른 혁신을 창출할 수 있는 시간적 · 물질적 여유를 갖게 된다. 다시 말해 해외 자회사들이 본사를 위한 새로운 혁신의 원천이 될 수 있는 것이다. 글로벌 학습을 촉진시키기 위해서 본사는 해외 자회사를 단순히 자신이 개발한 제품과 기술을 해외에 판매하기 위한 채널로만 활용해서는 안 된다. 해외 자회사와 함께 새로운 역량을 개발하고 공유하면서 자회사가 현지 시장에 맞는 새로운 기술과 역량을 개발할 수 있도록 지속적인 지원을 제공해야 한다.

글로벌 학습의 성공 사례로 GE General Electric Company가 중국에서 저가의 초음파 의료장비를 개발한 것을 들 수 있다. GE는 2000년대 초 중국 시장에서 10만 달러가 넘는 초음파기기를 판매하였는데, 당시 중국의 중소형 병원들은 재정이 빈약하여 이를 구매할 수가 없었다. 따라서 GE는 상하이에 대규모 연구센터를 설립하고 현지 과학자와 엔지니어들에게 저가의 초음파 의료장비를 개발하도록 기술과 자원을 제공하고 경영자율권을 부여했다. 그 결과 2002년에 상하이 연구센터는 PC에 연결하여 사용하는 3만 달러짜리 초음파기기를 개발했고, 2007년에는 1만 5천 달러까지 가격을 낮추었다. 이 저렴한 초음파기기는 중국에서 크게 히트를 치면서 많은 판매가 이루어졌고, 다른 개발도상국을 비롯하여 미국 본토에까지 수출되었다. 현대자동차 역시 글로벌 시장을 겨냥한 SUV 차량 싼타페의 개발을 한국 연구소가 아닌 북미 디자인 센터가 주도하게 함으로써 미국 구매자들에게 어필할 수 있는 세련된 디자인, 편안한 승차감, 우수한 품질 등을 갖출 수 있었고, 이는 그 모델이 미국은 물론 한국과 다른 국가에서 크게 성공한 주요 요인이 되었다.

글로벌 시장에서의 기업 간 경쟁이 치열하게 전개됨에 따라 세 가지 국제경영 역량의 필요성 역시 점점 더 커지는 상황이다. 이제까지 대부분의 한국기업들은 본사를 중심으로 신제품과 기술을 개발하고 해외 자회사들은 단지 이를 해외시장에 판매하는 창구로서 활용되어왔다. 이러한 중앙집권적 전략은 한국 본사의 주도로 신속한 의사결정과 일사불란한 해외사업 추진이 가능하다는 장점을 가진다. 하지만 장기적으로 글로벌 시장에서 성공하기 위해서는 한국을 넘어 세계 각 곳에서 새로운 기술과 역량을 개발하고 주요 해외시장에서 현지 고객들의 요구에 부합하도록 제품과 서비스를 현지화하는 능력이 필요하다. 이를 위하여 한국기업들은 본사 중심의 경영체제에서 벗어나 우수한 역량을 보유한 해외 자회사들을 많이 육성하고 이들 자회사 경영자들에게 더 많은 경영권을 부여해, 본사와 자회사가 상호협력하는 자세로 해외시장을 개척하는 노력을 기울일 필요가 있다.

신흥시장의 특성과 진출 전략

세계경제의 침체로 선진국의 경제성장률이 둔화하면서 중국, 인도 등과 같은 신흥시장은 글로벌 기업들의 각축장이 되고 있다. 국제적인 경제침체에도 불구하고 이들 시장은 지속적으로 높은 성장을 이루면서 제품과 서비스에 대한 새로운 수요가 창출되고 있기 때문이다. 국제부흥개발은행IBRD의 예측에 따르면 2018부터 2020년까지 세계경제는 연평균 3.0% 성장을 기록하였는데, 이 중 선진국 경제는 연평균 1.9% 성장에 그치는 반면, 신흥국 경제는 6.3%의 경제성장률을 달성할 것이라고 한다. 또한 대표적 신흥시장인 중국과 인도는 같은 기간에 각각 연평균 6.3%와 7.4%의 경제성장을 이룰 것으로 예측된다[4]. 이처럼 신흥시장은 선진국 시장보다 높은 성장률을 보일 것으로 예상되기 때문에 한국기업들은 신흥시장 진출에 더욱 주력할 필요가 있다.

하지만 신흥시장은 선진국 시장에 비해 소비자 구매력이 낮고 제도가 잘 발달하지 않았기 때문에, 이를 충분히 고려하여 진출 전략을 수립해야 한다. 과거 일본기업들은 신흥시장의 특성을 고려하지 않은 전략을 추구하다 많은 실패를 경험한 바 있다[5]. 다른 국가의 선진기업들도 신흥시장에서 많은 실패를 경험하였는데, 이는 신흥시장의 시장구조와 제도적 차이를 잘 파악하지 못했기 때문이다[6]. 즉 신흥시장은 중산층이 빠르게 증가하는 피라미드 시장구조를 가지고 있고, 선진국과는 달리 법적·경제적·사회적 제도가 불완전하거나 부재하기 때문에 제도적 공백institutional void이 존재할 수 있다는 점을 인지해야 한다. 또한 자국의 시장과 소비자를 잘 알고 있는 현지 기업들과 경쟁을 해야 하고, 개도국은 대부분 과거 식민지 경험이 있는 탓에 외국기업에 대해 경계심과 폐쇄성을 보인다는 점도 유념해야 한다.

| 피라미드 시장구조 |

신흥시장 경제는 피라미드 구조를 가지고 있다(그림 2). 신흥시장 전체 인구수로 봤을 때 구매력이 높은 상류층은 적은 비율을 차지하고, 중산층이 빠른 속도로 증가하고 있으며, 구매력이 거의 없는 가난한 소비자층이 피라미드 아래에 존재한다. 글로벌 기업들은 자국에서 판매하던 상품을 그대로 신흥시장에 가져와서 판매하면 될 것으로 생각하지만 상류층을 제외한 소비자 대부분은 소득이 낮아 해당 상품을 구매할 경제력이 없다. 그러므로 대부분 글로벌 기업들은 자사의 제품을 구매할 능력이 있는 상류층 시장에 집중하여 진출하지만, 상류층 소비자 수가 적기 때문에 기업 간 경쟁이 치열해져 성공을 거두기 어렵다.

따라서 신흥시장에서 성공하려면 피라미드 내에서 빠르게 증가하고 있는 중산층 소비자들을 공략할 필요가 있다. 그런데 신흥시장의 중산층 소비자들은 하위층에 비해 상대적으로 부유하지만 선진국 중산층 소비자들보다 소득이 낮아 수입품을 구매할 경제적 능력이 부족하다. 따라서 제품 혁신을 통해 이들의 구매력에 맞는 저렴한 제품을 제공해야만 한다. 그렇다고 해서 단순히 가격만 맞는 저가 제품을 공급해서는 중산층 및 하위층 시장을 공략하기는 힘들다. 인터넷과 미디어의 발달로 신흥국 소비자들 역시 최신 제품과 기술에 대해 잘 알고 있으므로, 저렴하다고 해도 품질이 낮거나 구형인 제품은 구매로 이어지지 않는 것이다. 따라서 기업은 혁신을 통해 신흥시장에 맞는 저렴한 제품을 출시해야 한다. 즉 신흥국 소비자들의 구매력 범위 내에서 가능한 한 최신 기술과 트렌디한 디자인을 탑재한 제품을 개발하는 것이 좋은 해결책이 될 것이다.

예를 들어, 삼성전자는 인도 스마트폰 시장에 진출하여 프리미엄 라인으로는 '갤럭시Galaxy' 시리즈를 출시하고, 중하층 소비자들을 위해서는 저가 휴대폰인 '제트원Z1'을 100달러 미만에 선보였다. 제트원은 삼성이 자체 계발한 운영체제

▨ 그림 2. 신흥시장의 피라미드 경제 구조

	구매력(US 달러)	인구수(백만 명)		
		중국	인도	브라질
상류층	$ 20,000 이상	2	7	9
중상층	$ 10,000~20,000	60	63	15
중하층	$ 5,000~10,000	330	125	27
하위층	$ 5,000 이하	800	700	105

Prahaland, C. K. and Lieberthal(1998)

인 '타이젠Tizen'을 기반에 둔 모델로 4인치 디스플레이, 320만 화소 카메라, 듀얼 심SIM 등과 같은 기본 기능을 모두 탑재하고 있고, 갤럭시와 비교해도 사용에 큰 불편함이 없으며 디자인도 고급스럽게 제작되었다. 제트원은 현지 시장에서 큰 호평을 받았고, 그 덕분에 삼성전자는 치열한 인도 스마트폰 시장에서 점유율 40% 이상을 차지하였다(2015년 기준).

| 제도적 공백: 현지화 및 제휴 |

'제도적 공백'이란 칸나Khanna와 팔레푸Palepu가 『Winning in Emerging Markets』에서 제시한 개념으로서 구매자와 판매자를 효율적으로 연결해주는 중재기관이나 금융제도의 부재를 의미한다[7]. 즉 선진국에서는 믿을 수 있는 공급업체, TV나 신문 등 제품홍보에 활용할 수 있는 매체, 신속하고 저렴한 물류 인프라 및 서비스, 그리고 금융까지 기업 활동을 지원해주는 일련의 제도들이 잘 갖추어져 있지만, 신흥시장에는 이러한 제도가 존재하지 않거나 존재해도 비효율적인 상황이다.

제도적 공백은 기업이 자국에서 개발한 비즈니스 모델을 신흥시장에 그대로 적용하기 어렵게 만든다. 예를 들어, 우수한 제품이 있더라도 TV나 인터넷 보급률이 낮아 광고를 통해 이를 소비자들에게 알리기 어렵고, 열악한 도로 사정으로 시골 지역에 제품을 유통하기가 곤란할 수 있다. 따라서 신흥시장에서 성공하려면 사업에 지장을 주는 여러 가지 제도적 공백에 효과적으로 대처하는 것이 중요하다.

가장 일반적인 방법은 비즈니스 모델의 일부를 수정하여 현지화하는 것이다. 예를 들어, 맥도날드가 1990년 러시아에 처음 진출했을 때 축산업이 열악하여 현지 공급자들로부터 양질의 소고기를 조달할 수 없었다. 그에 대응하여 맥도

날드는 러시아에 대규모 목장을 조성하여 자체적으로 소고기를 공급하였다. 삼성과 LG의 경우에는 1990년대 초 중국에 처음 진출했을 때 전국적인 유통망의 부재로 어려움을 겪은 바 있다. 이를 해결하기 위해 두 기업은 중국 내에 자체적인 유통망 구축에 많은 투자를 하였다.

또 다른 유용한 방법은 시장 상황을 잘 아는 현지 기업과의 제휴다. 발포제(foaming agent) 생산 세계 1위 기업인 ㈜동진쎄미캠은 1990년에 인도네시아에 대규모 생산공장을 건설하면서 생산 제품의 현지 판매와 유통을 현지 기업인 합작파트너사에 일임하였다. 인구가 많은 인도네시아는 발포제의 주요 소비국이지만, 열악한 도로 사정과 복잡한 규제로 인하여 직접 사업을 영위하기에는 여러 어려움이 있었다. 따라서 이미 오랜 사업관계를 통해 신뢰할 수 있었던 합작파트너사에 판매·유통을 맡김으로써 ㈜동진쎄미캠은 현지 시장을 효율적으로 개척하고, 전략적으로 보다 중요한 생산공장 운영 및 다른 주요 해외시장으로의 제품 수출에 역량을 집중할 수 있었다.

한국기업이 고려할 수 있는 또 하나의 전략은 대기업이 해외시장에 먼저 진출한 후 해당 지역으로 국내 중소협력사들이 뒤따라 진출하는 해외 동반진출이다. '표 1'을 통해 제조업과 도소매 유통산업을 중심으로 대기업과 중소기업의 동반진출이 활발하게 이루어지고 있음을 알 수 있다. 국제화 경험이 적은 중소기업이 신흥시장에 혼자 진출할 경우 불안전한 환경 속에서 많은 시행착오와 비용이 발생하지만 대기업과 동반진출한다면 그 기업으로부터 노하우와 방법을 배울 수 있기 때문에 현지 적응을 효과적으로 달성할 수 있다. 대기업 역시 동반진출한 중소기업으로부터 자국과 동일한 품질 수준의 부품이나 원자재를 공급받게 되어 '현지의 믿을 수 있는 공급업체 부재'와 같은 제도적 공백에 효과적으로 대처할 수 있다. 실제로 현대·기아차는 해외 공장 건설을 위해 600여 개의 부품업체들과 해외 동반진출을 했으며, 이들의 성공적인 현지 정착을 위해 공장부지 제공, 구매물량 보장, 재무적 지원, 경영과 기술 컨설팅 등 다양

한 서비스를 제공해왔다.[8]

■ 표 1. 한국 대·중소기업 해외 동반진출 현황(2016년 기준)

업종별	해외 동반진출 대기업 진출 수	해외 동반진출 협력사 진출 수	1개사 평균 동반진출 수
제조업	27(60.0%)	1,175(63.1%)	43.5
건설	10(22.2%)	262(14.1%)	26.2
도소매 유통	5(11.1%)	368(19.7%)	73.6
정보통신	3(6.7%)	57(3.1%)	19
합계	45(100%)	1,862(100%)	41.4

전경련중소기업협력센터

| 현지 기업들과의 경쟁: 글로벌 이미지와 현지화의 조화 |

신흥국 내 현지 기업들은 진출한 한국기업들에 비해 규모가 작고 기술 면에서 뒤처지는 경우가 대다수이다. 하지만 현지 기업들은 자국 소비자들을 외국 기업보다 더 잘 이해하고 있어 제품 현지화에 유리할 뿐만 아니라 현지 노동력과 자원을 보다 효과적으로 활용할 수 있기 때문에 이들을 가격경쟁력으로 압도하기는 쉽지 않다. 더욱이 최근 들어 신흥시장 내 현지 기업들은 자국 정부의 직간접적인 보호 및 지원을 받으며 급속한 성장을 이루는 추세이다.

그렇다고 해서 이를 타개할 방안이 전혀 없는 것은 아니다. 홀트Holt와 그의 동료들이 2004년에 발표한 논문 「How Global Brands Compete」에 따르면 소비자들이 글로벌 브랜드 제품을 구매하는 가장 중요한 두 가지 이유는 품질이 우수하고(44%), 글로벌 커뮤니티에 속해 있다는 정체성을 느끼기 때문(12%)이다.[9] 따라서 한국기업은 무리하게 가격경쟁을 하기보다는 첨단 제품이나 서비스를 통해 글로벌 브랜드 이미지를 구축하여 자사의 제품이 현지 기업들의 제품보다 우수하고 세련될 것이라는 소비자들의 기대에 부합하는 전략을 취하는 것이 좋다.

일례로 한국 극장사업자인 CJ CGV는 베트남에 2011년 인수합병을 통해 진출하면서, 당시 현지 기업들이 보유하고 있지 않았던 3D, 4D, IMAX와 같은 프리미엄 상영 기술을 현지 관객들에게 선보였다. CGV의 프리미엄 상영관은 현지 상영관보다 티켓값이 30% 이상 비쌌기 때문에 가격경쟁력 측면에서는 불리했다. 하지만 향후 베트남 영화 관람 시장이 성숙해가는 것을 고려했을 때 고소득 계층을 선점하는 효과가 있었으며 불법 복제와 다운로드에 익숙한 현지 관람객들을 극장으로 이끄는 유인책으로 작용하였다.

한편 상영 콘텐츠에서는 철저하게 현지화 전략을 도입하였는데 대표적인 예로 2014년 한국에서 동 계열사인 CJ E&M이 제작하고 CJ CGV에서 개봉한 영화 '수상한 그녀'를 들 수 있다. 이 영화는 현지 제작사와 제휴하여 등장인물을 모두 현지 배우로 교체하고, 베트남 유머와 노래를 삽입하는 등 현지 관객의 취향에 맞춰 리메이크되었다(그림 3). 그 결과 2015년 베트남 개봉작 중 최고 매출인 485만 달러를 기록하였다. 이와 같은 사례를 통해 한국기업의 신흥시장 진출 전략으로는 첨단 제품 및 서비스에 대한 기술적 리더 이미지를 심어주되 고객 취향에 맞는 적절한 현지화가 바람직하다는 것을 알 수 있다.

■ 그림 3. 국내 개봉작 '수상한 그녀'(2014)와
리메이크작 'Em Là Bà Nôi Cùa Anh'(2015)

| 경계심과 폐쇄성: 기업의 사회적 책임 수행 |

대부분 개발도상국들은 과거에 식민 통치를 경험한 바가 있기 때문에 민족주의 성향이 강하고 외국기업들에 대해 경계심을 보인다. 이들이 가지고 있는 경계심과 폐쇄성을 완화하기 위해 한국기업이 취할 수 있는 전략 중 하나는 현지인들을 위한 CSRCorporate Social Responsibility, 기업의 사회적 책임 활동을 적극적으로 이행하는 것이다. 신흥국가 대부분이 정부 관료의 비효율성, 재원 및 인프라 부족, 부패, 전염병, 두꺼운 빈곤층 등과 같은 여러 사회문제를 가지고 있다. 따라서 한국기업이 신흥국가에서 이와 같은 사회문제 해결에 노력을 기울인다면 현지 소비자들은 해당 기업에 대한 경계심을 늦추고 호감을 느낄 것이다.

의류, 유통업체인 이랜드그룹은 중국에서 2000년 직원 자원봉사를 시작으로 2002년 장애인 의족 지원, 2005년 치료비 지원, 2008년 쓰촨성 지진 피해자들에게 현금 1억 원과 의류 기부, 2010년에는 빈곤 보건소 7개 설치와 장애인 의족 지원사업 등 매년 현지에서 가장 이슈가 되는 사회문제 해결을 위해 활발한 CSR을 진행해왔다. 중국은 넓은 영토와 많은 인구에 비해 도시화 비율이 낮고 전문인력이 부족하여 사회적 안전망이 매우 부실하다. 그 때문에 중국 정부는 자국에 진출한 해외 기업들에도 CSR 수행을 요구해왔으며, 이랜드가 그동안 수행해온 CSR 활동을 높이 평가하여 중국 내 사회공헌 분야 최고 권위의 상인 '중화자선상'을 2011년, 2012년 2회 연속 수여하였다(표 2).

그 결과 CSR 활동을 통해 수혜자들에게 직간접적으로 이랜드 브랜드가 홍보된 것은 물론 중국 중앙방송사인 CCTV를 비롯한 현지 매체들이 수상 사실을 보도함에 따라 이랜드는 단숨에 중국 내 소비자들의 신뢰를 얻게 되었다. 또한 CSR 활동을 통해 중국 지방 정부로부터 신임을 얻게 되면서 실질적인 인허가 장벽도 완화되었는데, 예를 들어 상하이시 정부는 이랜드에 지역 내 공장과 본사빌딩 부지를 매우 저렴한 가격에 50년간 대여해주었다.

▧ 표 2. 이랜드 중국법인의 사회공헌상 수상경력

수상 연도	상명	주관처
2010	백옥란상(白玉兰奖)	상해시
2011	중화자선상(中華慈善賞)	중국 민정부
2012	중화자선상(中華慈善賞)	중국 민정부
2013	중국 공익 10대 자선상	국제공익자선협회

이랜드 CSR 홈페이지

한국적 경영의 글로벌화

한국적 기업문화와 경영방식은 조직에 대한 충성심, 단결력, 끈기 등과 같은 여러 가지 장점이 있으며, 이는 후발주자인 한국기업들이 단기간에 기술과 경영능력을 축적하여 선진기업들을 추적하는 데 큰 기여를 해왔다[10]. 그러나 한국적 경영은 권위주의적 리더십에 대한 과신, 다른 문화나 조직에 대한 배타성, 지나친 화합의 강조로 인한 창의성 결여 등과 같은 문제들도 가지고 있어서 해외에서 사업을 영위하고 현지인 인력을 관리하는 데 지장을 초래할 우려가 있다[11].

실례로 과거 동남아에 진출한 한국기업들이 권위적인 태도로 현지인 직원들을 대하는 바람에 잦은 노사분규를 초래한 경험이 있으며[12], 네덜란드에 진출한 한국 대기업들은 위계적인 상명하달식 경영방식을 고수하다가 개인주의와 평등주의 성향이 강한 현지인 직원들과 많은 불신과 갈등을 겪은 바 있다[13]. 따라서 한국기업들이 성공적으로 해외시장에 진출하기 위해서는 한국적 경영이 가진 장점을 살리고 약점을 보완하는 데 노력을 기울여야 한다.

한국적 경영은 유교 문화와 집단주의적 사고방식으로부터 많은 영향을 받아 형성되었고, 다음과 같은 세 가지 특징이 나타난다[14].

권위주의authoritarianism: 직장에서 상사가 부하 직원들에게 높은 통제를 행사하고 권위를 통해 명령과 지시를 내리며, 부하 직원들은 이에 일방적으로 순종하고 명령을 따름

인정주의benevolence: 가부장적 역할을 강조하는 동아시아의 유교 문화에서 비롯된 것으로 상사가 부하 직원의 사적인 영역, 예를 들어 가정 형편 같은 문제에도 관심을 가지고 도움을 제공함

집단주의collectivism: 조직에서 구성원들에게 영향을 미치는 의사결정을 하거나 정책을 수립할 때 구성원 개개인의 권리와 이익보다는 조직 전체의 안전과 이익을 우선시함

이러한 한국적 경영의 특징들은 경영자들이 신속하고 일사불란하게 업무를 추진하고, 직원들의 조직에 대한 충성심과 결속력을 이끌어내는 데 많은 기여를 해왔다. 하지만 문화와 역사적 전통이 다른 외국에서 이러한 특징들은 기업 경영에 도움을 주기보다는 장애 요인으로 작용할 우려가 있다. 예컨대 권위주의는 인간이 평등하다는 사고가 강한 서유럽 국가에서 직원들의 반발을 살 우려가 있고, 인정주의와 집단주의는 개인주의 성향이 강한 미국에서 직원들의 사생활과 권리를 침해하는 것으로 여겨질 수 있다.

실제로 LG전자의 프랑스 법인에서 법인장으로 10년간 재직했던 프랑스인 에리크 쉬르데주Eric Surdej는 『한국인은 미쳤다』라는 파격적인 제목의 저서에서 위계적이고 지나친 성과주의와 조직에 대한 충성을 강요하는 한국적 경영방식을 신랄하게 비판했다[15]. 또한 한태상공회의소의 조사에 따르면 한국과 문화가 유사한 태국의 현지인 직원들도 한국인 관리자에 대해 '성격이 급하고 너무 서

두른다', '자기주장과 고집이 강하다', '기분에 좌우하거나 지시사항이 자주 바뀐다', '태국인을 비하하거나 직원한테 무례하고 편파적일 때가 있다', '큰 소리로 얘기한다' 등과 같은 불만을 표시하였다[16]. 따라서 한국적 경영이 해외에서도 통한다는 보장은 없으며, 성공적인 국제화를 위해서는 기업문화와 경영방식을 보다 보편화하고 국제화하여 진출한 다양한 국가에서 현지인들이 수용 가능토록 해야 한다.

국제화를 위해 기업문화의 변화를 시도한 대표적인 사례로는 LG그룹을 들수 있다(그림 4). LG그룹은 1997년 구본무 회장이 야심 차게 중장기 발전전략인 '도약 2005'를 발표하면서 이를 실현하기 위한 기본 철학 중 하나로 '국제적·지역적으로 경쟁력 있는 경영시스템 구축'을 설정하고, 기존에 안정, 인화, 존중 등과 같이 한국적 요소가 강했던 기업문화를 도전challenge, 속도speed, 단순함simplicity, 무경계boundlessness 등을 특징으로 하는 보다 진취적이고 보편성 있는 기업문화로 변화시키고자 많은 교육과 캠페인을 전개하였다[17]. 삼성의 경우도 1993년에 이건희 회장이 '품질제일주의'를 천명한 '신경영'을 발표한 후 성과 기반 보상 시스템 구축, 성과 평가의 공정성과 투명성 제고, 지역전문가 육성 제도, 외국인 핵심인재 채용 등을 통해 기존의 가족기업적인 경영체제를 보다 선진화되고 국제화된 경영체제로 전환하고자 노력을 기울였다[18].

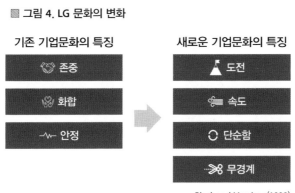

그림 4. LG 문화의 변화

기존 기업문화의 특징	새로운 기업문화의 특징
존중	도전
화합	속도
안정	단순함
	무경계

Black and Morrison(1998)

   한국적 경영을 국제화하는 것은 특히 해외의 우수한 외국인 인력을 유치하고 육성하는 데 필요하다. 기업들은 대개 국제화 초기에 주재원을 파견하여 해외사업을 영위한다. 그러나 국제화가 심화되면 본사에서 파견한 주재원들을 중심으로 현지 사업을 운영하는 방식은 한계에 봉착한다. 제아무리 주재원이 현지 사업 경험이 많더라도 외국인으로서 해당 지역의 문화나 제도를 완전히 이해할 수 없기 때문이다. 해외사업을 지속해서 성공적으로 운영하기 위해서는 그 나라의 문화와 제도를 잘 알고 있는 우수한 현지인 직원들의 확보가 필수적인 것이다.

   앞서 설명한 국제경영 역량을 개발하는 데도 현지인 직원들이 많은 기여를 할 수 있다. 이들은 자기 나라의 상황을 잘 파악하고 있으므로 각국에 맞는 우수한 생산·판매·유통 시스템을 구축하고(글로벌 효율성), 현지 소비자들의 요구와 기호에 맞도록 제품과 서비스를 현지화하는 데 중요한 역할을 할 수 있다(현지 대응). 해외에서 우수한 과학자와 엔지니어들을 조직구성원으로 확보하는 것은 각국에 소재한 기술과 자원을 활용하여 경쟁력 있는 새로운 제품과 서비스를 개발하는 데 필수적이다(글로벌 학습). 우수한 현지인 인력의 확보는 신흥시장 진출 시 더욱 중요해진다. 신흥시장은 많은 제도적 공백과 특유한 관습으로 인해 제품뿐만 아니라 전반적인 비즈니스 모델을 현지화할 필요가 있다[19]. 이러한 현지화는 자국의 문화와 제도를 잘 이해하고 있는 현지인 경영자들에 의해 더욱 성공적으로 수행될 수 있다.

한국적 경영을 글로벌화하기 위해서는 무엇보다도 우리나라의 문화나 행동양식이 우월하다고 자만하여 다른 나라의 문화나 행동양식을 배척하는 '자기민족중심주의ethnocentrism'가 나타나지 않도록 구성원들의 의식을 변화시킬 필요가 있다. 집단주의가 강한 한국 문화에서는 타 문화를 배척하는 자기민족중심주의가 의식적 또는 무의식적으로 표출되는 경우가 많은데, 그러한 경향은 특히 선진국 사람보다는 개발도상국 사람을 대할 때 현저하게 나타난다. 한 국가의 문화와 제도는 역사적으로 나름의 합리적인 근거와 필요성에 의해서 형성된 것이다. 따라서 다른 나라의 문화와 제도가 우리와 다르더라도 이를 이해하고 존중하는 태도를 가질 필요가 있다.

또한 한국기업에서는 너무나 당연한 관행이나 업무처리 방식들이 외국인에게는 일방적이고 불합리하게 보일 수 있다. 따라서 우리의 기업문화나 경영방식을 외국인 직원이 과연 잘 이해하고 수용할 수 있는가를 검토해볼 필요가 있다. 이를 위하여 외국인 직원의 관점에서 우리 회사의 문화와 제도가 얼마나 타당성과 합리성을 가지는지 살펴보고, 비합리적인 점들을 찾아서 개선하는 노력을 기울여야 한다. 궁극적으로 기업은 국적과 문화가 다른 외국인 직원들도 한국인 직원들과 마찬가지로 조직구성원으로서 소속감과 책임감을 느낄 수 있는 업무환경을 조성해야 한다. 이를 위해서는 업무와 승진에 있어서 한국인 직원과 외국인 직원을 차별하지 않고 성과에 대해 공정한 보상을 제공하는 합리적인 인사제도의 구축이 가장 중요하다고 볼 수 있다.

박영렬(연세대 경영대학 교수)

백유진(연세대 경영학과 박사과정)

한국 대기업의 성장 역사를 국내외 환경변화에 따라

4개의 시기로 나누어 전략과 성과를 분석한다.

또한 한국의 대표 기업을 대상으로

전사적 성장전략은 물론 국제화 전략까지도 함께 분석한다.

1.2
한국기업 국제화 과정의
시대적 고찰 및 교훈

지난 30여 년 동안 한국 대기업들은 글로벌 시장에서 괄목할 만한 성장을 보여주었다. 1980~1990년대 수출중심 전략을 통해 해외시장에 대한 다양한 지식과 경험을 축적한 한국기업들은 2000년대 초반부터 본격적으로 해외직접투자에 박차를 가하였다. 1980~1999년 누적 기준 296억 달러에 불과했던 해외직접투자는 2016년 한 해에만 352억 달러를 기록하며 엄청난 양적 성장을 이루어냈다. 그뿐만 아니라 글로벌 기업으로의 도약도 착실히 이뤄지고 있어 2017년 기준 미국 비즈니스 잡지인 『포춘Fortune』에서 선정한 '글로벌 500대 기업Global 500'에 15개의 한국기업이 포함되었고, 미국 경제전문지 『포브스Forbes』가 선정한 '세계에서 가장 가치 있는 브랜드 100위권 기업The World's Most Valuable Brands'에 삼성전자와 현대자동차가 선정되기도 하였다. 특히 삼성전자의 경우 도요타를 제외하고는 10위권 안에 선정된 유일한 미국 외 기업이라는 점에서 국내외의 주목을 받았다.

한국기업들의 글로벌 성장 과정이 결코 순탄하기만 한 것은 아니었다. 한국경제는 10년 사이에 두 차례의 외부 충격으로 촉발된 경제위기를 겪으며 심각한 대외취약도를 확인하였고, 성장 모멘텀 회복을 위해 많은 노력을 쏟아야 했다. 힘든 시기를 가까스로 이겨낸 기업들은 글로벌 시장에서의 도약 기회를 얻었으나, 표면 위로 드러난 부실 문제를 해결하지 못한 기업들은 부도 처리되었다. 1997년 아시아외환위기 당시 한보그룹의 6조 원대 부실을 시작으로 삼미, 대농, 진로, 한신공영 등 당시 30대 그룹에 속한 기업들이 차례로 부도 처리되었고, 당시 재계 서열 8위였던 기아그룹은 부도유예 대상 기업이 되기도 하였다. 2008년 글로벌금융위기 이후에는 부실 가능성이 높은 건설 · 조선 · 해운업 부문에서 선제적 구조조정이 실시되었는데, 금융감독원에 따르면 2008년 이후 2016년 6월까지 자율협약 및 워크아웃을 신청한 기업 수는 대기업 81개사, 중소기업 103개사로 총 184개에 이른다. 이처럼 우리 기업들이 외부 위기에 취약한 것은 높은 해외시장 의존도와 관련이 있다. 규모가 작은 내수시장과 수출중심 산업체계로 인해 대기업의 해외매출 비중은 2016년 기준 44.7%를 기록했으며, 내수중심 기업들의 해외매출 비중도 증가하는 추세이다. 해외시장에 대한 높은 의존도는 내수 한계극복에 긍정적 영향을 미치지만, 외부에서 촉발된 경제위기가 닥칠 경우 즉각적인 피해 원인이 된다. 한 가지 다행인 것은 위기 상황이 반드시 모두에게 똑같은 크기의 불행을 가져다주는 것은 아니라는 점이다.

'Fortune 100'에 오른 글로벌 기업들을 대상으로 기업쇠락의 원인을 분석한 올슨Olson, 반 베버Van Bever, 베리Verry(2008)의 연구에서 나타나듯이 기업의 실패는 대부분 기업 내부 요인에 기인한다는 것이 중론이다[1]. 설사 위기의 시작이 외부에서 촉발되었다 하더라도 실패의 근본적 원인은 결국 누적되었던 내부의 문제인 것이다. 이는 위기가 누군가에게는 기회가 될 수 있다는 것을 시사한다. 기업 경영성과 평가사이트 CEO스코어에 따르면 아시아외환위기 당시 한국의 30대 그룹 가운데 19곳이 2017년 기준 해체되거나 재계순위 30위권 밖으로 밀려났지만, 외환위기를 극복한 기업들의 경우에는 20년 전보다 오히려 높은 재계순위를 기록하였다. 외부 위기대응의 성공 여부가 기업의 생존 및 성공과 직결되는 것을 단적으로 보여주는 결과일 것이다.

이에 따라 본 장에서는 대기업을 중심으로 지난 30년간 한국기업의 국제화 역사를 시대적으로 고찰함으로써 향후 한국기업들의 국제화 전략에 대한 교훈을 도출하고자 한다. 조금 더 구체적으로 말하면, 1997년 아시아외환위기와 2008년 세계금융위기를 전후로 대기업들이 외부 위기를 극복하는 과정에서 그들의 글로벌 투자 전략이 어떻게 변화해왔는지를 살펴보고자 한다. '그림 1'은 1990년도부터 2017년까지의 대기업 해외직접투자 현황을 보여주고 있다. 여기서는 해당 기간의 대기업 국제화 역사를 아래의 총 4개의 시기로 구분하였다.

· 국제화 1기(1990~1996년): 양적 국제화 시기
· 구조조정기(1997~2004년): 아시아외환위기 대응 및 회복기
· 국제화 2기(2005~2014년): 질적 국제화 시기
· 국제화 3기(2015~현재): 국제화 전환기

▧ 그림 1. 한국 대기업의 해외직접투자 현황

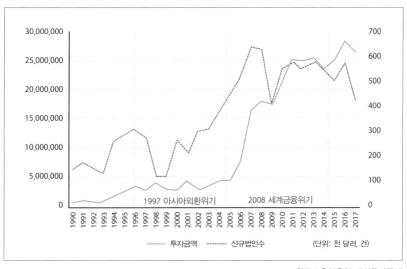

한국수출입은행 해외투자통계

국제화 시기별
글로벌 전략

| 국제화 1기(1990~1996년): 양적 국제화 시기 |

1990년대 초반부터 대기업들의 해외직접투자는 계속해서 증가하였다. 1990년 기준 투자는 9억 달러를 상회하는 수준이었으나, 1996년에는 34.8억 달러를 기록하며 4배 가까운 증가세를 보였다. 신규법인의 경우에도 같은 기간 149개에서 308개로 두 배 가까이 증가하였다. 이러한 대기업들의 글로벌 투자확대는 1990년 초반부터 본격적으로 진행된 해외직접투자의 규제완화에 따른 것이었다. 1994년 우루과이라운드협상 타결, 1995년 세계무역기구 출범, 1996년 한국의 경제협력개발기구OECD 가입과 함께 경제의 대외개방이 급속하게 진행되었다. 이후 정부의 전방위적 규제완화 목표에 따라 투자제한 업종 및 투자제한 국 축소, 수출입금지제한 품목 열거 관련 네거티브(원칙적 개방 · 미개방 분야 열거) 전면 도입, 해외투자인증제도 및 허가대상 축소, 자산운용 목적의 해외부동산 투자확대, 자기자본 조달의무 폐지 등 다양한 자유화 조치가 이어졌다[2]. 따라서 이 시기의 특성을 한마디로 정리하면 정부의 대대적인 기업 국제화 지원 및 규제완화에 따른 양적 국제화 시기라고 할 수 있겠다. 1980년대 대기업들의 투자가 북미 지역 중심으로 이뤄진 것과는 다르게, 국제화 1기에는 전체 투자금액의 41.5%, 신규법인의 59.8%가 아시아 지역에 집중되었다. 당시 대기업들은 제조업 부문에 많은 투자를 했기 때문에 인건비가 저렴한 투자대상국이 필요한 동시에 후발주자의 입장에서 선진국 기업들이 진출하지 않은 미개척 시장에서 경쟁력을 찾아야 했기 때문이다.

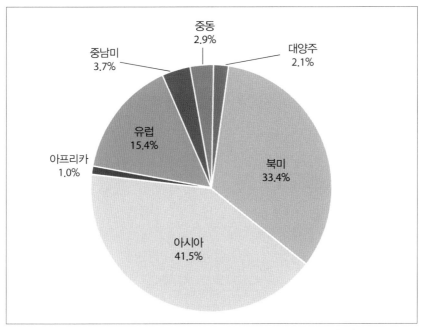

한국수출입은행 해외투자통계

국제화 1기의 가장 대표적인 기업 사례로는 대우그룹을 들 수 있다. 1993년 대우그룹은 '세계경영'을 핵심경영 전략으로 채택하였고, 1990년대 세계경영 기조 아래 여러 지역 및 국가에 진출하여 다양한 사업을 펼쳤다. 주요 사업 부문으로는 무역, 자동차, 전자 등이 있었다. 그룹의 모기업인 ㈜대우가 국제무역과 해외투자의 창구역할을 수행하였고[4], 자동차와 전자 부문은 세계 10대 자동차 및 전자제품 메이커로 부상하는 것을 목표로 해외 생산체제 가속화에 주력하였다. 그 결과 1993년 세계경영 전략을 발표한 후부터 1990년대 말까지 설립된 해외법인 수는 무려 250개를 넘어섰으며, 이 가운데 절반 이상이 구 사회주의권 국가들에 집중된 가운데 중국, 베트남, 인도 등의 아시아 국가들이 5위권 내 주요 투자대상국으로 포함되어 있었다. 당시 이들 국가는 기술 유치를 위해 자동차 및 전자 부문 업체들에 유리한 외국인 투자법규를 제정하였고, 노동자들의 평균임금은 대체로 낮은 편이었다. 그러나 취약한 관련 사업기반, 현지 금융 조달의 한계, 불안한 정치 상황, 급격한 인플레이션 등으로 인해 선진국 기업들은 상대적으로 관심을 두지 않는 시장이기도 했다[4].

따라서 글로벌 경영은 급속도로 진행되는 시장개방과 국제화 물결에 적극적으로 대응하기 위한 대우그룹의 선택이었다고 할 수 있다. 국내 인건비 상승과 후발 개도국의 약진으로 예전만큼의 수출성과를 기대할 수 없는 상황에서 국내에서 생산된 제품을 해외로 수출하는 과거의 전략을 그대로 구사할 수는 없었기 때문이다[3]. 또한 미개척 시장을 통해 경쟁력을 확보하려는 후발주자의 따라잡기catch-up 전략이기도 했다. 그러나 광범위하고 공격적인 글로벌 투자 전략은 이후 구조조정기에 대우그룹의 해체를 야기하는 모순적 결과를 가져오기도 했다.

| 구조조정기(1997~2004년): 아시아외환위기 대응 및 회복기 |

1997년 시작된 아시아외환위기는 한국의 산업생태계를 전면적으로 바꾸는 계기가 되었다. 방만한 경영과 무리한 해외진출의 부작용은 결국 외부에서 촉발된 경제위기와 함께 우리 경제 전면에 드러났고, 외환위기를 기점으로 많은 기업들의 존폐가 갈렸다. 외환위기 당시 한국의 30대 그룹 대기업 가운데 2017년 기준 해체된 곳은 대우(1998년 기준 3위), 쌍용(7위), 동아(10위), 고합(17위), 진로(22위), 동양(23위), 해태(24위), 신호(25위), 뉴코아(27위), 거평(28위), 새한(30위) 등 11곳에 이른다(표 1)[6].

표 1. 아시아외환위기 이후 30대 그룹 순위 변화

그룹명	1998년 순위	2017년 순위	등락
현대	1	–	–
삼성	2	1	▲1
대우	3	–	탈락
LG	4	4	–
SK	5	3	▲2
한진	6	14	▼8
쌍용	7	–	탈락
한화	8	8	–
금호	9	19	▼10
동아	10	–	탈락
롯데	11	5	▲6
한라	12	–	탈락
대림	13	18	▼5
두산	14	13	▲1
한솔	15	–	탈락
효성	16	25	▼9
고합	17	–	탈락
코오롱	18	–	탈락
동국제강	19	–	탈락
동부	20	–	탈락
아남	21	–	탈락
진로	22	–	탈락
동양	23	–	탈락
해태	24	–	탈락
신호	25	–	탈락
대상	26	–	탈락

뉴코아	27	–	탈락
거평	28	–	탈락
강원산업	29	–	탈락
새한	30	–	탈락

CEO스코어, 연합뉴스

이러한 상황 속에서 국제화 1기에 활발했던 대기업들의 글로벌 시장 진출도 급속도로 위축되었다. 대기업들이 기업 구조조정에 사활을 걸고 있었기 때문에 사업확장 및 글로벌 진출 확대 여력이 부족했던 것이다. '그림 1'에서 나타나듯이 1997년 대기업의 해외직접투자금액은 전년 대비 19.1% 감소하며 28.2억 달러에 그쳤으며 구조조정기 내내 소폭의 증가와 감소를 반복하며 뚜렷한 성장 모멘텀을 이끌어내지 못하였고, 1998년 기준 대기업들의 신규법인 설립은 외환위기 직전인 1996년의 50%에도 미치지 못하는 수준이었다.

이처럼 구조조정기는 대기업들의 글로벌 시장 활동이 위축된 시기였으나, 위기를 견뎌낸 기업들에게는 실패를 딛고 미래 경쟁력 기반을 다지는 시기이기도 했다. 우선 적극적인 국내외 사업구조 개편을 통해 구축한 효율적인 글로벌 네트워크는 국제화 2기에서 보여준 질적 국제화의 밑거름이 되었다. 또한 원화의 평가절하로 인하여 해외시장에 제품을 수출할 때 우리 기업들의 가격경쟁력이 높아졌다[6]. 삼성, 현대, SK, LG, 롯데, 한화, 두산, 한진, 금호, 대림, 효성 등은 구조조정기를 성공적으로 극복하여 20년이 지난 후에도 글로벌 시장에서의 경쟁력을 유지하고 있는 대표 사례이다.

| 국제화 2기(2005~2014년): 질적 국제화 시기 |

국제화 2기는 구조조정기에 위축된 해외직접투자가 다시 안정적 성장세를 되찾는 전기, 미국발 세계금융위기가 발생한 중기, 위기를 극복하고 글로벌 시장에서의 성장 모멘텀을 다시 회복하는 후기로 구분할 수 있다. 즉 이 시기는 아시아외환위기 이후 10년 만에 발생한 외생적 외부 충격exogenous external shock에도 불구하고 그간의 구조조정 노력이 빛을 발하며 글로벌 성장 모멘텀을 이어간 질적 국제화 시기라고 할 수 있다.

· 전기(2005~2007년): 질적 국제화 시작
· 중기(2008~2009년): 세계금융위기 대응
· 후기(2010~2014년): 질적 국제화의 모멘텀 회복

▒ 그림 3. 국제화 2기의 세부 시기 구분

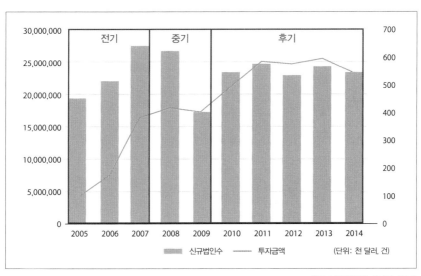

한국수출입은행 해외투자통계

45

1997~2004년 사이 연평균 3.3%에 그쳤던 해외직접투자는 국제화 2기 전기에 해당하는 2005~2007년 사이 연평균 53.1%까지 성장하였다. 특히 이 시기는 대기업들의 최대 투자대상국이 미국에서 중국으로 변화하는 시기였다. '그림 4'에서 나타나듯이 중국이 2002년 처음으로 최대 투자대상국이 된 이후로 대중 투자비중은 꾸준히 상승하였다. 2005년부터 해외직접투자 회복과 함께 대중 투자가 급증하면서 2007년 기준 대중 투자는 대미 투자를 크게 상회하였다. 이에 따라 2005~2007년 대중 투자 누적액은 75.5억 달러, 대미 투자 누적액은 44.8억 달러를 기록하였다.

　　2008년 세계금융위기는 국제화 2기 전기의 해외직접투자 상승세를 꺾어놓았다. 세계금융위기의 여파로 국내 금융시장과 실물경제가 큰 충격을 받으면서 기업의 유동성이 악화되고, 건설·조선업 등을 중심으로 부실이 급격히 확

▨ 그림 4. 대중, 대미 투자 추이

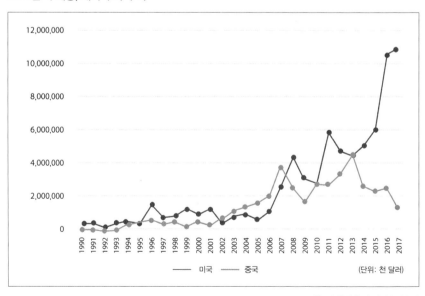

한국수출입은행 해외투자통계

산되었다[7]. 이에 따라 2008~2009년 연평균 해외직접투자는 감소세를 나타내며 -1.2%를 기록하였다. 그러나 1997년 이후 기업 구조조정을 위한 관련 법 제도가 정비되어 있었고, 아시아외환위기 때의 대형 부실은 없었으며, 외환보유고도 충분했기 때문에 2010년부터는 다시 성장 모멘텀을 회복할 수 있었다. 그 결과 2010~2014년 해외직접투자는 연평균 17.47%까지 증가하였다.

국제화 2기를 대표하는 기업으로는 아모레퍼시픽을 들 수 있다. 1990년대 초부터 글로벌화를 본격적으로 추진한 아모레퍼시픽은 비주력 부문인 증권, 패션 등의 사업체를 매각하여 화장품 사업에 집중하였으며, 2000년대 들어 서경배 회장의 진두지휘 아래 세계 화장품 시장 공략을 가속화하고 있다. 아모레퍼시픽의 글로벌 사업은 중국을 포함한 중화권, 아세안ASEAN 지역, 북미 지역 등 3대 주요 거점 시장을 중심으로 펼쳐지고 있다. 아모레퍼시픽은 2000년대 초반 홍콩 시장 진출을 시작으로 중화권 시장에 대한 경험과 지식을 쌓은 후 중국 상하이에 현지법인을 설립하면서 본격적으로 중국 시장에 진출하였다. 중국 화장품 시장의 성장과 한류 열풍에 힘입어 아모레퍼시픽의 중국 내 색조화장품 시장 점유율이 2014년 기준 2.5%에 이르렀다. 그러나 전체 해외 매장 수 대비 중국 내 비중이 70% 이상을 차지하고, 해외사업 매출의 80% 이상이 중국에 집중될 정도로 높은 시장 의존도는 글로벌 화장품 업체로 나아가기 위해 아모레퍼시픽이 해결해야 할 과제이기도 하다. 이에 아모레퍼시픽은 해외사업 다각화를 최우선 목표로 설정하고 미국, 아세안, 유럽, 중동 시장에 공격적인 투자를 통해 2020년까지 해외매출 비중을 50%까지 늘리겠다는 계획을 세우고 있다.

| 국제화 3기(2015~현재): 국제화 전환기 |

국제화 3기는 대기업의 해외직접투자 구조가 크게 재편되는 시기라고 할 수 있다. 대기업의 해외직접투자 증가세는 2015년부터 다시 확대되었다. 2014년 전년 대비 7.3% 감소하였던 대기업의 해외직접투자는 2015년 6.6%, 2016년 13%로 증가하였으며, 금액 기준으로는 2016년 사상 최대치인 282.5억 달러를 기록하였다(그림 1). 이처럼 최근 크게 증가한 대기업들의 해외직접투자는 투자업종 측면에서 과거와 큰 차이를 보인다. 금융이나 부동산업 투자가 과거 주요 투자업종이었던 제조업 투자 규모를 크게 넘어선 것이다(그림 5). 세계금융위기 이후(2010~2014년) 29.3%였던 제조업 투자 비중은 2015~2017년 사이 18.3%로 감소한 반면, 금융 및 보험업은 12.3%에서 22.2%로, 부동산업 및 임대업은 7.8%에서 12.2%로 증가하였다.

▨ 그림 5. 대기업의 주요 투자업종 변화

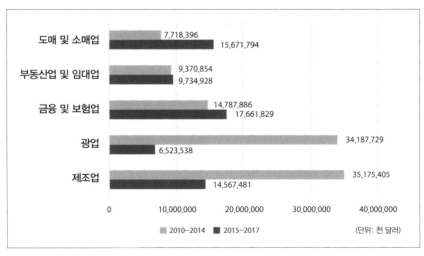

한국수출입은행 해외투자통계

대기업의 금융·부동산업 관련 투자가 크게 활성화된 것은 저금리 기조의 장기화로 글로벌 자산가격 상승 기대가 확산되면서 해외 금융자산 투자 유인이 높아졌기 때문이다. 또한 과거 글로벌 생산기지 역할을 하였던 중국의 자급률 상승으로 중간재 수요가 감소한 것이 제조업 투자비중 감소로 이어졌다[8]. 이에 따라 미국과 중국에 대한 투자비중도 과거와 다른 양상을 보인다. 제조업의 주요 투자처였던 중국에 대한 투자가 감소하여 2010~2014년 13.4%였던 대중 투자비중이 2015~2017년에 7.8%로 감소한 것이다. 또한 미국에 대한 금융자산, 부동산 투자가 증가하면서 2010~2014년 19.0%였던 대미 투자비중이 2015~2017년에는 34.4%로 증가하였다.

현지법인 설립보다 신기술 확보 목적의 M&AMergers and Acquisitions. 인수·합병 등 지분인수 투자가 활발히 이뤄지는 것도 이 시기의 특성이다[9]. 2016년 기준 국내 기업의 해외 M&A 투자는 366억 달러로 전년보다 25% 증가했는데, SK하이닉스와 베인앤캐피탈사모펀드 컨소시엄이 약 2조 엔(약 18조 9,788억 원) 규모로 도시바TODHIBA 메모리를 인수한 것이 크게 작용하였다. 2017년 대기업의 해외 M&A 투자는 9건, 11조 2천억 원으로 건수는 감소한 반면 금액은 증가했는데, 삼성전자가 전장업체 하만HARMAN을 9조 3천억 원에 인수한 영향이 크다[9].

한국기업의 국제화 과정이 주는 시사점

1990년부터 2017년까지 한국기업의 국제화 역사를 국제화 1기(1990~1996년), 구조조정기(1997~2004년), 국제화 2기(2005~2014년), 국제화 3기(2015~현재)로 구분하여 분석한 결과, 각 시기별 글로벌 전략을 요약하면 다음과 같다.

국제화 1기는 대기업들의 해외 신규법인 설립이 경쟁적으로 이뤄진 양적 국제화 시기였다. 대표적으로 대우그룹이 국계경영 목표 아래 광범위한 글로벌 네트워크를 수립하였다. 이후 아시아외환위기로 기업 부실이 전면에 드러나면서 기업들은 대대적인 기업 구조조정을 실시하며 국내외 사업구조를 재정비하는 시간을 가졌다. 국제화 2기는 그간의 구조조정 노력에 힘입어 기업부실 문제가 어느 정도 해결된 상황에서 해외직접투자가 안정적으로 성장한 질적 국제화의 시기였다. 이 시기에는 중국 시장의 급성장, 세계금융위기 극복, 시장 다변화 과제 등이 주요 이슈로 제기되었다. 마지막으로 국제화 3기에는 대기업의 해외직접투자 구조가 크게 재편되어 투자업종, 투자대상국, 투자형태 측면에서 과거와는 다른 구조적 특성이 발견되었다. 과거의 제조업 중심에서 금융 및 부동산업 중심으로 투자업종이 변화하고, 미국에 대한 투자가 증가한 반면 대중투자는 감소하고, 해외법인 설립보다는 신기술확보를 위한 인수합병이 활발해졌다.

우리는 이러한 역사적 고찰을 통해 한국기업들이 지난 30년 동안 많은 시행착오를 겪으면서 국제화 역량을 축적해왔다는 것을 확인하였다. 즉 초기에는 주로 값싼 국내 인건비에 기반을 둔 저가 제품으로 개도국 시장을 개척하는 데 주력하였지만, 점차 가격보다는 브랜드와 기술에 기반을 둔 국제화 전략을 추구하였고, 최근에는 투자 범위가 제조업을 넘어 금융 및 부동산업 등으로 확대되고 진입 방법에 있어서도 인수·합병과 같은 고도의 수단을 보다 적극적으로 활용하고 있다. 따라서 향후 우리 기업들이 성공적인 해외진출을 이루기 위해서는 초기에 상당기간 학습에 따른 시행착오와 비용을 감내할 필요가 있고, 경험이 축적됨에 따라서 가격보다는 기술과 브랜드에 기반을 둔 경쟁력을 구축해야 하며, 해외진출에 있어서도 수출 및 신규설립뿐만 아니라 국제 M&A와 같은 보다 다양한 진입 방법을 고려할 필요가 있을 것이다.

또한 위기를 기회 삼아 조직의 고착화된 문제들을 이미 해결한 기업들의 경우, 이후 당면한 위기 상황에서 더 빠르게 글로벌 경쟁력을 회복할 수 있으며, 이는 아시아외환위기와 세계금융위기로 점철된 지난 20년의 역사가 우리 기업들에 주는 또 다른 교훈이다.

문희진(연세대 SKK연구단 전임연구원)

국제 R&D 성과를 향상시키는 조직 요인들을 파악하고,
한국기업의 효과적인 국제 R&D를 위한 방안을 제안한다.

1.3
지속적인 경쟁우위 창출을 위한
국제 R&D 전략

무역장벽이 낮아지면서 다양한 국가의 소비자 욕구를 충족하기 위한 기업 간 경쟁이 시작되었다. 과거 국제 경쟁은 소품종 대량 생산으로 대표되는 규모의 경제 달성에 방점이 찍혀 있었으나 기술의 발전은 국제 경쟁 양상을 바꾸어 놓았다[1]. 기술의 발전으로 인해 제품의 제조 및 수송 방식이 바뀌고, 소비자가 다양한 정보에 접근할 수 있게 되면서 기업은 다품종 소량 생산된 제품을 전 세계에 적시에 공급해야만 국제 경쟁력을 확보할 수 있게 되었다. 이를 위해 기업은 여러 해외시장에 출시할 수 있는 다양한 혁신 제품을 끊임없이 만들어내도록 기업 내 R&DResearch and Development, 연구·개발 관리에 전력을 기울여야 한다[2].

기업 관리자들은 중요한 의사결정이 주로 본사에서 이루어지기 때문에 R&D 역시 본사에서 가까운 곳에서 이루어져야만 국제 전략 실행이 쉬울 것으로 생각했다[3]. 이로 인해 과거 국제 경쟁에 맞서기 위한 기업의 R&D는 자국의 중앙 R&D 센터에서 해외시장의 수요 변화와 혁신 가능성을 탐색하고 본사의 집중화된 자원과 역량을 이용해 혁신을 창출하는 중앙 집중 형태를 띠었다[4]. 본사 중심 R&D 전략을 채택한 기업들은 자국에서 우수한 혁신을 개발한 다음, 이를 현지 상황에 맞게 변형하여 해외시장에 내놓는 이른바 글로컬라이제이션

glocalization을 통해 비용 우위 달성에 필요한 방대한 시장 확보와 시장점유 극대화를 위한 현지화 사이에서 적정한 균형점을 찾을 수 있었다[5]. 한국기업들 역시 오랫동안 본사 중심 R&D 전략을 추구했다. 한국의 966개 기업을 대상으로 한 조사에 의하면 81개 기업을 제외한 모든 기업이 한국에서만 R&D를 하는 것으로 나타났다[6].

그러나 신흥경제국들이 경제와 과학 발전의 선두 선상에 서고, 다채로운 혁신으로 무장한 기업들이 세계 곳곳에 나타나면서 국제 경쟁은 전 세계에 분포한 지식과 정보를 활용하여 혁신을 개발하고 확보한 혁신을 전 세계로 확산시키는 능력을 확보하는 방향으로 변하기 시작했다. 그 결과 기업이 국제 경쟁우위를 확보하기 위해선 세계 곳곳에서 R&D를 수행해야 하는 시대가 도래했다. 그러나 국제 R&D는 여러 측면에서 기업 관리자들이 극복해야 할 경영 문제들을 안고 있어 기업은 원하는 성과를 항상 달성하지는 못한다. 그러므로 여기서는 국제 R&D 전략의 필요성과 유형을 개괄하고, 국제 R&D 관리 중에 마주치는 문제와 해결 방안을 한국기업의 사례와 함께 제시해보고자 한다.

국제 R&D의
필요성과 전략

R&D를 중앙 집중화한 기업들은 두 가지 문제에 봉착했다. 먼저, 혁신의 원천이 될 수 있는 지식이 전 세계에서 생겨나고 있는데 이들 기업은 해외 대학이나 연구소의 새로운 연구결과를 자사 혁신에 빠르게 반영하지 못할 때가 많다[3]. 또 다른 문제는 성공적인 글로컬라이제이션의 근간이었던 인도, 중국 등 신흥경제국의 소비자들이 이들 기업의 예측과는 다르게 변화하면서 본사 중심 R&D 전략이 현지 시장 점유율을 높이는 데 있어 유리하다고 보기 힘든 상황

이 되었다는 점이다[5]. 신흥경제국이 과거 선진국이 걸어온 길을 답습할 것으로 생각했기에 자국에서 만들어진 혁신 제품이 신흥경제국 소비자들에게 충분히 받아들여질 것으로 예상했지만, 현실은 그렇지 않았다.

이는 삼성전자의 스마트폰 '갤럭시' 제품군이 중국 시장에서 부진을 겪고 있는 것을 통해 알 수 있다[7]. 삼성전자는 중국 스마트폰 시장에서 한때 20%대의 높은 점유율을 자랑했지만, 지금은 2%를 지키기도 힘든 상황이다. 가격이 저렴하면서도 품질이 좋은 이른바 '가성비'가 높은 제품들에 중국 소비자들이 눈을 돌리면서 중저가 스마트폰이 중국 시장을 잠식했다. 이 흐름을 간과한 채 한국에서처럼 고가의 스마트폰을 계속 중국에 출시한 결과 삼성전자는 중국 스마트폰 시장에서 고전을 면치 못하게 된 것이다.

즉 기업은 자국에서만 R&D를 해서는 세계 수준의 지식과 혁신 역량을 쌓아 세계시장을 선도하기 힘들어졌다[4]. 기업은 해외 소비자들의 변화무쌍하면서도 다양한 수요를 파악하고 이를 충족할 수 있는 혁신 기회를 끊임없이 찾아내기 위해 여러 국가에 산재한 지식에 접근할 수 있는 국제 R&D를 수행해야 한다. 실제로 전 세계 혁신 기업 1천 곳을 대상으로 한 조사에 의하면 이들 기업은 국제 R&D를 하는 이유로 해외 인력이 지닌 기술 지식에 접근(71%), 현지 고객에 밀착(68%), 현지 시장의 수요 파악(64%) 등을 든다[4].

최근 아시아 신흥경제국들이 다국적 기업의 국제 R&D 종착지로 부상하고 있다[9]. 기업들이 과거 아시아 신흥경제국에서 R&D를 했던 이유는 이들 국가의 저임금 노동시장을 통해 저비용으로 R&D를 할 수 있었기 때문이었다. 그러나 지금은 이들 국가의 인건비 상승으로 인해 단순 개발보다는 복잡하면서도 기업의 혁신 역량을 강화할 수 있는 연구를 수행하는 방향으로 변하고 있다. 한국기업들도 1980년대부터 미국 등의 선진국에, 그리고 1990년대 중반부터는 중국, 인도, 러시아 등 신흥경제국에 연구소를 설립하였다[10].

국제 R&D 전략은 R&D 목적에 따라 크게 두 가지로 나눌 수 있다. 하나는 본사의 기술 역량을 강화하기 위해 해외에 연구소를 세우는 본사 기술 역량 강화home-base-augmenting R&D이다. 다른 하나는 본사의 기술 역량을 활용하여 해외 자회사를 돕기 위해 행해지는 본사 기술 역량 활용home-base-exploiting R&D이다.

두 가지 국제 R&D 전략은 수립 동기부터 필요조건에 이르기까지 여러 면에서 차이가 난다(표 1). 우선 본사 기술 역량 강화 R&D 전략은 자국에선 얻기 힘든 기술 지식을 해외에서 찾기 위해 수립된다. 주로 과학과 기술이 발전한 해외 국가에 연구소를 세움으로써 기업은 자국에선 시도하지 못했던 R&D 프로젝트에 필요한 핵심 기술 지식을 확보하여 본사의 기술 역량을 강화할 수 있다. 동시에 다른 자회사로 이 지식을 전파함으로써 기업의 전반적인 기술 역량 증대도 꾀할 수 있다. 본사 기술 역량 강화 R&D 전략은 다양한 분야의 기술 지식을 결합한 복잡한 제품이나 서비스를 개발하기 위해 해외 인력과 장기간에 걸쳐 R&D 활동을 할 필요가 있을 때 수립한다. 이런 경우 자국에서의 R&D나 한시적인 글로벌 R&D 협력보다는 해외에 연구소를 설립하는 것이 비용이나 효과성 측면에서 좋을 때가 많기 때문이다.

반면에 본사 기술 역량 활용 R&D 전략은 본사의 제품이나 서비스를 해외시장의 여러 상황에 맞게 조정하기 위해 수립된다. 본사 기술 역량 활용 R&D 전략에 따라 설립된 해외 연구소는 본사로부터 전달된 제품이나 서비스에 내재한 핵심 기술 지식은 건드리지 않은 채 현지 국가의 수요나 정책에 맞추어 특정 부분을 수정하거나 현지 특화된 요소를 더하는 선에서 R&D를 수행한다. 본사 기술 역량 활용 R&D 전략이 필요한 경우는 해외 국가에 제품이나 서비스를 출시하는 데 필요한 현지 수요나 정책 변화에 대한 보완 지식을 현지의 다른 조직들을 통해 확보하기가 쉽지 않을 때이다. 이럴 땐 해외에서 보완 지식을 조달받는 데 비용이 많이 들거나 조달 과정에 적지 않은 시간이 소요되기에 본사 기술 역량에 기초하는 해외 연구소를 설립하는 전략이 필요하다.

표 1. 본사 기술 역량 강화 R&D와 본사 기술 역량 활용 R&D 전략 비교

	본사 기술 역량 강화 R&D	본사 기술 역량 활용 R&D
수립 동기	기술 지향	수요 지향
핵심 기술 지식 전파 방향	본사에서 해외 연구소로	해외 연구소에서 본사로
필요조건	다양한 기술 지식 결합을 위해 해외 인력과의 장기간 R&D 필요	해외시장 관련 보완 지식을 다른 조직을 통해 확보하는 게 어려움

Bergfeld, M.-M. H.(2009); OECD(2008)

이처럼 두 가지 국제 R&D 전략은 수립 동기, 필요조건 등이 다르기에 관련 해외 연구소의 입지 조건부터 R&D 결과물에 이르기까지 다양한 부분에서 상이한 모습을 보여준다[3]. 두 가지 국제 R&D 전략의 차이를 보다 면밀히 파악하기 위해 우선 본사 기술 역량 강화 R&D 전략부터 살펴보자.

| 본사 기술 역량 강화 R&D |

본사 기술 역량 강화를 위한 해외 연구소는 해외 대학 및 연구소가 보유한 지식이나 이들을 통해 기술 발전정보를 얻기 위해 설립된다. 본사 기술 역량 강화 연구소를 가진 기업은 다양한 방법으로 현지 지식을 습득할 수 있다. 예를 들어, 연구소가 있는 지역 내 연구자 모임에 연구소 인력이 참석하거나 현지 연구기관과의 연구 협력을 통해 새로운 혁신에 필요한 기술을 연구할 수 있다. 기술지식은 전 세계에서 만들어지지만, 특정 지역에서 기술 지식을 보유하고 있거나 이를 활용하는 방안을 연구하는 조직들이 밀집해 있는 경우가 있다. 보통 본사 기술 역량 강화 연구소는 집약된 기술 지식에 접근하고 관련 조직들과의 협력과 빠른 의사소통을 위해 이러한 지역 클러스터 내에 위치하곤 한다[11].

본사 기술 역량 강화 R&D가 성공하기 위해서는 다양한 과학·기술 분야의 진보를 인식하고 이와 관련된 현지 과학자 및 기술자들과 긴밀히 교류할 수 있는 능력을 해외 연구원들이 갖추어야 한다. 특히 해외 연구소 설립 초기엔 해외 연구원들이 지역 과학계와 학문적인 관계를 구축하여 연구소가 지역 과학계의 일부로 받아들여질 수 있게 도와줄 수 있는 현지의 저명한 과학자를 연구소의 장으로 두는 방법이 필요하다[3]. 만약 연구소가 지역 과학계에 편입되지 않는다면 본사의 혁신 창출에 필요한 지식과 정보에 적시에 접근할 수가 없어 연구소의 효용이 낮아질 수밖에 없기 때문이다.

본사 기술 역량 강화 R&D를 통해 기업은 뜻하지 않게 전 세계에 내놓을 수 있는 혁신을 창출할 수도 있다. 이를 성공적으로 실행한 기업이 바로 GEGeneral Electric Company와 시스코Cisco이다. GE는 2009년 당시 1천 달러짜리 휴대용 심전도 측정 기기와 1만 5천 달러가량의 휴대용 초음파 기기를 인도와 중국의 농촌 지역을 목표로 개발했다. 그런데 이후 이 두 기기가 미국 등의 선진국에서도 경쟁력이 있음을 알게 되었다[5]. 그래서 GE는 이 두 제품을 미국에 성공적으로 출시했고 두 제품은 이른바 역逆혁신reverse innovation이라고 불리는 혁신 모델의 대표가 되었다. 시스코도 자사의 인도 연구소에서 신흥경제국들을 대상으로 'ASR 901 aggregation services routers 2'를 만들었다. 그런데 선진국에서도 이 제품에 대한 수요가 있다는 것을 알게 되어 현재는 전 세계를 대상으로 판매하고 있다[12].

국내 기업 가운데 아모레퍼시픽과 한미약품은 본사 기술 역량 강화 R&D를 통해 뚜렷한 성과를 내고 있다. 아모레퍼시픽의 상하이 연구소는 베이징대, 푸단대, 쓰촨대 등과 공동연구를 통해 중국 여성의 피부 특징을 파악하여 중국 시장을 목표로 하는 제품을 개발하고 있다. 또한 아모레퍼시픽 싱가포르 연구소는 싱가포르 국가과학연구기관인 A*STARAgency for Science Technology and Research와 첨단 화장품 개발에 쓰일 신물질을 공동 개발 중이다. 이러한 국제 R&D를 통해 아모레퍼시픽은 해외 소비자의 피부에 맞는 화장품을 개발하여 해외시장을 선점하겠다는 전략을 추진해나가고 있다[6]. 한미약품의 북경 연구소는 연구원 160명 중 절반가량이 베이징대, 칭화대 출신이다. 이 연구소는 국내에선 규제 때문에 보유하기 힘든 실험용 원숭이를 확보하는 등 연구 설비 및 역량을 갖춰 짧은 시일 안에 결과가 필요한 임상시험 및 전임상 연구 분야에서 경쟁력을 확보했다. 특히 2015년 기술 수출에 성공한 당뇨치료제 등 본사 신약 개발 연구가 난관에 부딪혔을 때 북경 연구소가 큰 도움이 된 것으로 알려졌다. 최근 한미약품 북경 연구소는 자체 신약 개발에도 도전하여 여러 신약 후보물질을 확보하고 있다[13].

| 본사 기술 역량 활용 R&D |

본사 기술 역량 활용을 위한 연구소는 현지에 있는 자회사를 지원하거나 현지 상황에 맞춰 본사에서 만들어진 제품을 조정하기 위해 설립된다[3]. 과거 기업이 생산 시설을 해외로 옮긴 이유는 생산 비용을 낮추고 무역장벽을 극복하기 위함이었다. 하지만 해외 소비자의 수요가 다변화되고 국제 경쟁이 치열해지면서 본사에서 개발된 제품을 신속하게 현지에 출시해야 할 필요가 생겼다. 문제는 본사로부터 이전된 제품을 현지 생산 시설에서 그대로 생산하기 어려울 때가 있는데 이는 본사와 자회사 간의 생산량 차이, 확보 가능한 원자재의 품질 차이, 그리고 변화무쌍한 수요 변화 등에 기인한다. 이런 경우 현지 생산 시설의 공정 역량이나 현지 여건에 맞게 제품의 세부 사양을 조정해야 한다. 보통은 본사의 기술진이 이를 처리하지만, 빈번하게 발생하면 현지에 이를 전담할 연구소를 세우는 것이 효율적일 때가 많다.

본사 기술 역량 활용 연구소의 경영진은 기업문화와 시스템을 잘 알고 있는 기업 내 고위 임원이어야 한다[3]. 기업 내부 사정에 밝은 연구소 경영자는 자신의 지위와 사내 정보를 이용하여 현지 연구소 인력과 해외 생산 및 마케팅 시설 간 긴밀한 협력 관계를 구축하고 상호 간 의견이나 이해 충돌이 있으면 적절한 해결책을 제시하는 등의 임무를 효과적으로 수행할 수 있다.

본사 기술 역량 활용 R&D의 우수 사례로 현대모비스를 들 수 있다. 현대모비스는 현대자동차와 기아자동차가 해외에서 필요로 하는 첨단 모듈 부품을 개발한 후 이 부품을 현지 자동차 생산 시설에 빠르게 공급하기 위해 여러 국가에 연구소를 설립했다. 예를 들어, 2002년 4월에 설립한 미국 디트로이트 연구소는 현지의 최신 정보와 기술을 습득한 후 북미 시장에 적합한 외장을 미국 내 현대 · 기아차 생산 시설에 공급하는 등의 지원 업무를 수행하고 있다[6].

국제 R&D 경영의
어려움과 극복 방안

국제 R&D가 항상 성공적으로 운영되진 않는다. 국제 R&D가 기업에 미치는 영향을 분석한 연구들은 기업이 전체 R&D 프로젝트 중 일정 부분 이상을 해외 연구소에서 할 경우 이들 기업의 혁신 성과와 조직 변화 능력이 감소하는 것을 발견했다[14][15]. 모든 경영활동이 그러하듯 국제 R&D 경영엔 경영자가 해결해야 하는 문제들이 있다. 기업이 국제 R&D에 집중할수록 문제들이 불거질 수밖에 없다. 국제 R&D 경영을 하면서 마주치는 문제들을 해결하지 않는다면 자국에서 접할 수 없는 지식과 혁신 기회를 확보하더라도 이를 제대로 활용할 수 없다는 것을 관련 연구들이 시사한다.

그렇다면 국제 R&D 경영엔 어떤 난관이 있을까? 기업 경영자들을 대상으로 한 조사나 관련 연구에 의하면 이들은 국제 R&D를 관리하면서 만나게 되는 여러 난관을 토로하는데 그중 다음 두 가지를 가장 어려운 것으로 손꼽는다.

| 해외 연구소에서 만들어진 지식 활용의 어려움 |

관련 연구를 살펴보면, 조직 내부의 문제로 인해 기업은 해외 연구소가 만든 지식을 제대로 활용하지 못할 수도 있다고 한다. 해외에서 만들어진 지식은 본사의 편협한 사고방식parochial mindset 때문에 무시되거나 그 활용 범위가 줄어들 수 있다[16]. 편협한 사고방식을 지닌 본사 경영자는 자신이 모든 것을 잘 안다는 듯이 행동하고, 해외 연구소가 내놓는 혁신적 제안을 사소한 것으로 치부해 버릴 가능성이 높다. 편협한 사고가 팽배한 회사의 해외 연구소들은 자신들의 제안이 거절당할 거라고 지레짐작하고 혁신적인 연구를 시도하지 않거나 자기 방어를 위해 본사와의 정보 공유를 주저할 수도 있다. 본사의 '내가 제일 잘 알아' 증후군은 본사와 해외 연구소 간의 연구결과물 공유와 정보의 원활한 흐름을 막아 국제 R&D로 인한 이점을 상쇄해 국제 R&D에 투입된 기업 자원을 낭비하게 한다.

또 다른 조직 내부 문제는 해외 연구소가 만든 지식을 사업단business unit이 인지하지 못하거나 활용하기 어렵다는 점이다[15]. 해외 여러 지역에서 R&D가 행해질 때 사업단이 자신의 혁신 프로젝트에 필요한 지식 유무를 해외 연구소에서 확인하고 활용하기까지 여러 난관이 있을 수 있다. 먼저, 해외 연구소들과 접촉하여 자신이 필요로 하는 지식 보유 여부를 확인하는 데에 들어가는 비용과 시간을 무시할 수 없다. 이때 소요되는 탐색 비용과 시간 탓에 혁신 프로젝트를 제때 끝내지 못할 위험이 있어 경쟁 기업에 뒤처지는 결과물을 내놓을 가능성이 높다. 둘째, 자신이 만들지 않은 지식의 정수를 이해하고 적절한 활용처를 찾기는 쉽지 않기에, 설령 사업단의 프로젝트 목적에 맞는 지식을 해외 연구소에서 발견하더라도 제대로 활용하지 못할 수 있다. 실제로 한 조사에 의하면 기업 관리자들은 해외 연구소에서 획득한 지식의 활용 방안이나 잠재된 가치를 정확하게 판단하는 것에 어려움을 겪는다고 한다. 특히 복잡한 기술 분야에서 사업을 하는 기업일수록 해외 연구소가 만든 지식의 가치 판단에 더 어려움을 겪는 것으로 나타났다[17].

정확한 가치 추산이 힘든 기술 지식을 효과적으로 활용하는 건 쉽지 않다. 따라서 이 문제들을 해결하기 위해서는 해외 연구소들과 본사 간에 긴밀한 의사소통이 이루어져야 한다[18]. 효과적인 의사소통 채널 구축을 하는 데는 두 가지 방법이 있다.

첫째, 연구소들 간 역할을 구분하고 본사와의 공식적 네트워킹을 활성화해야 한다. 연구소들이 수행하는 R&D 성격을 구분한 후 이들 연구소가 부여받은 R&D 임무에 따라 만든 지식을 조직 내에 확산시키기 위해 정기적인 화합의 장을 만들어야 한다. 연구소마다 특정한 연구나 기술 분야만을 담당하게 되면 사업단은 자신이 필요로 하는 지식을 보유한 연구소에 접촉하여 필요할 때마다 해당 연구소의 도움을 바로 받을 수 있다. 아울러 연구소에 재직하고 있는 R&D 인력과 본사 경영진의 정기적 모임을 활성화한다면 본사 경영진은 연구진행 상황을 알게 되고 R&D 인력은 기업 내에서 진행 중인 혁신 프로젝트에 필요한 지식을 파악해 보완 연구를 시작할 수 있다.

R&D 역할을 어떻게 연구소에 할당할 것인지에 대한 최상의 답은 없지만, 많은 다국적기업들이 채택하고 있는 것은 원천 기술을 연구하는 중앙 연구개발센터와 기술의 상용화와 생산을 고려한 제품 설계를 주로 하는 글로벌 제품 연구소로 구분하는 것이다[19]. 이를 통해 사업단이 혁신 프로젝트 시작에 필요한 원천 기술이 필요한 경우나 혁신 프로젝트 완성 및 결과물 생산에 도움이 될 수 있는 보완적 기술이 필요할 때 관련 연구소에 더욱 빠르게 접촉할 수 있을 것이다.

둘째, 기업 내 R&D 관련 비공식 네트워킹을 장려해야 한다. 해외 연구소 간

혹은 해외 연구소와 본사나 자회사 간의 비공식적인 네트워킹은 상대 조직에 있는 지식을 빠르게 인식하는 것을 가능케 하고 해당 지식이 어떻게 활용되어야 하는지를 사전에 알게 하여 혁신 프로젝트 진행에 있어 특정 지식이 필요할 때 적시에 활용할 수 있게 된다[15]. 비공식 네트워킹을 활성화하는 방안 중 하나는 해외 연구소 인력을 순환 근무시키는 것이다[18]. 다른 자회사나 본사에 배치된 해외 R&D 인력은 실제 사업과 관련된 단기 프로젝트에 참여하여 해당 프로젝트의 성공 가능성을 높일 수 있는 신선한 아이디어를 제공하고, 장기적으로는 함께 일했던 자회사나 본사의 동료들과 장기적인 의사소통 채널을 구축하여 R&D 활용에 도움이 되는 지식과 정보를 지속적으로 교환하게 된다.

많은 기업들이 혁신을 촉진하기 위해 기업 내 네트워크를 형성하고자 한다. 한 예로, 삼양그룹은 화학, 식품, 의약바이오, 정보전자소재 등 전 사업 부문의 연구원들이 한자리에 모여 기술 현황 및 발전 방향을 공유하는 '삼양이노베이션 R&D 페어'를 매년 개최한다[20]. 하지만 해외 연구소들까지 포함한 광범위한 네트워크를 형성하기는 쉽지 않은데, 이를 적극적으로 추진하는 기업이 오리온이다. 오리온은 한국 연구소를 중심으로 중국, 베트남, 러시아의 연구소들을 통합적으로 관리하는 체제를 구축하였다. 이후 매년 9월부터 11월까지 국제 R&D 교류의 장인 '글로벌 하이라이트'와 '카테고리 Technical University'를 개최해 이들 연구소 인력들이 원천기술 개발 현황을 교환하고 신제품 아이디어를 공유하게 하여 자사의 혁신 역량을 강화하고 있다. 그 결과 해외 소비자 특성에 맞춘 신제품들을 잇달아 내놓을 수 있었다[21].

| 지식 유출 |

세계적으로 활발한 R&D 활동을 하는 기업 1천 곳을 대상으로 한 조사에 의하면 기업 경영자들은 해외 연구소에서 만들어진 지식을 보호하는 데에 어려움이 있음을 토로한다[8]. 특히 다국적 기업들은 자신들의 연구소가 있는 인도, 중국 등의 아시아 신흥경제국에서 만들어진 지식이 유출되는 것을 걱정하고 있다[9]. 이는 일반적으로 신흥경제국들이 약한 지식 재산권 체제regime를 가지고 있기 때문이다. 지식 재산권 체제란 지식이 다른 주체에 의해 모방되는 것을 막기 위한 합법적 방안의 총체라고 볼 수 있는데, 대표적인 예로 특허와 상표권을 들 수 있다. 실제로 미국 정부가 발표한 통계에 의하면 2013년에 미국에 본사를 두고 있는 기업들이 경험한 지식 재산 유출 건들 중에서 중국과 관련된 것들이 약 80%를 차지했다[22]. 이렇듯 약한 지식 재산권 체제를 가진 신흥경제국에 진출한 기업에 가장 시급한 문제는 해당 국가에서 자사 연구소가 만든 지식과 혁신을 안전하게 보호하는 것이다.

해외 연구소의 지식이 유출되는 가장 큰 원인은 R&D 인력이 다른 기업에 이직하는 경우이다[23]. R&D 인력의 이직은 기업에 두 가지 부정적 영향을 끼칠 수 있다. 첫째, R&D 인력을 확보한 경쟁 기업이 해당 인력이 지닌 노하우나 자사 핵심 지식을 활용하여 자사의 혁신을 쉽게 모방할 수 있다. 둘째, 경쟁 기업은 자사가 현재 진행 중인 R&D 프로젝트와 관련된 원천기술을 파악하고 이 프로젝트를 뛰어넘을 수 있는 새로운 프로젝트에 착수할 수 있다.

문제는 약한 지식 재산권 체제하에선 R&D 인력의 이직으로 인한 지식 재산권 침해를 해결할 법적 방안을 마련하기 어렵다는 점이다. 다국적 기업의 경영자들은 선진국에서 했던 법적 관행이 지식 재산권 체제가 약한 국가에서는 그다지 효과적이지 않거나 지식 재산 침해 여파로부터 기업을 적시에 보호할 수 있을 정도로 신속하게 작동하지 못한다는 데 동의한다. 예를 들어, 중국 시장에 비아그라를 선보인 화이자Pfizer는 15년간의 소송 끝에 중국 내 비아그라 특허권을 획득하였다. 하지만 소송이 끝났을 시점엔 이미 수많은 모조품이 시장에 유통되고 중국 기업들로 이뤄진 컨소시엄에서 제네릭 의약품들을 생산하고 있는 상황이었다[22].

　실제로 현대자동차그룹이 중국 베이징에 자동차 기술연구소 설립을 결정한 이면에는 해당 연구소에서 기술 지식을 유출될 가능성을 어느 정도 고려했음을 알 수 있다[24]. 현대자동차그룹은 갈수록 커지고 있는 중국 자동차 시장을 공략하기 위해 불가피하게 중국에 기술연구소를 설립했다. 현대자동차그룹 측에선 "비영리법인이고 100% 한국에서 투자해 기술이 유출될 우려가 없다"고 밝히고 있지만, 해당 연구소에서 중국 인력 채용과 교육이 이뤄지기 때문에 기술 지식의 유출 가능성을 완전히 배제할 수 없다고 전문가들은 지적하고 있다.

　지식 재산권 체제가 약한 국가에서 연구소를 설립한 기업이 지식 유출 방지를 위해 선택할 수 있는 방안에는 크게 두 가지가 있다.

　첫째, R&D 프로젝트에 필요한 기술 지식을 세분한 후 중요한 것은 자국에서 개발하고 그 외의 것은 해외 국가에서 개발하는 것이다. 기업 내 연구소들이 특정 R&D 프로젝트를 위해 통합될 기술 지식을 개별적으로 개발한다고 생각해 보자. 만약 개별 기술 지식의 가치는 다른 연구소들의 기술 지식과 기업의 내부 자원과 결합하여 혁신이 만들어져야만 발현된다면 해당 기술 지식을 모방해서 경쟁 기업이 얻을 수 있는 가치는 한정된다. 따라서 어떤 기술 지식이 지식 재산권 체제가 약한 나라에서 만들어지더라도 이 지식의 가치가 강한 지식 재산권 체제를 가진 해외 국가 혹은 자국의 기술 지식과 결합하여야만 실현된다면, 기업은 강한 지식 재산권 체제의 국가를 지렛대 삼아 약한 지식 재산권 체제의 국가에서 만들어진 지식을 보호할 수 있다[25]. 실제로 다국적 정보통신기술 기업들의 무선통신기술 개발을 추적한 연구에 의하면 이들 기업은 무선통신기술 분야의 표준들을 구성하는 원천기술 지식은 주로 자국에서 만드는 것으로 나타났다[26]. 원천기술 지식을 자국에서 개발하면 확립된 지식재산권 역량을 통해 모방의 위험에서 해당 지식을 확고하게 방어할 수 있다. 따라서 원천기술 지식과 결합될 해외 연구소의 지식이 경쟁 기업들에 의해 모방되더라도 원천기술 지식을 개발하는 데 걸리는 시간과 이를 방어하려는 기업의 예상 가능한 법적 조치 때문에 경쟁 기업들은 모방을 시도하지 않을 것이다.

실제로 한국 기업들은 중국에 설립한 연구소와 자국 연구소가 맡는 R&D 프로젝트 성격을 구분하고 있다[27]. 중국에 진출한 정보기술 중소기업들은 본사 연구소에서는 원천기술을 연구하고, 단순한 기술이나 원천기술을 보완하는 기술은 중국 연구소에서 연구하고 있다. 이는 중국에 진출한 한국 중소기업의 대부분이 기술 유출에 속수무책인 상황에서[28] 핵심적이고 고부가가치를 창출하는 기술 지식의 유출을 방지하기 위한 방안이라고 볼 수 있다.

둘째, R&D 프로젝트 목표 국가에 따라 자국 R&D 인력 참여를 고려해야 한다. 앞서 언급했듯이 약한 지식 재산권 체제를 지닌 국가의 R&D 인력의 이직을 통한 지식 유출 피해를 줄이기는 상당히 힘들다. 즉 약한 지식 재산권 체제를 가진 국가의 R&D 인력은 전체 R&D 과정의 약한 고리가 될 수 있다. 이때 고려할 방안은 R&D 프로젝트에 참여하는 자국 R&D 인력과 해외 R&D 인력 비율을 조정하는 것이다[23]. R&D 프로젝트의 목적이 지식 재산권 체제가 약한 국가에 선보일 혁신 개발이라면 R&D 과정의 약한 고리를 보강하기 위해 해당 프로젝트에서 자국 R&D 인력의 비중을 늘리는 것이 지식 유출 피해를 줄이는 방법이 될 수 있다. 반대로 지식 재산권 체제가 강한 국가를 목표로 하는 R&D 프로젝트의 경우 법적 조처를 통해 지식 유출을 방지하고 유출 피해를 줄일 수 있다. 이때는 해외 R&D 인력의 신선한 아이디어가 프로젝트에 많이 반영될 수 있도록 프로젝트 내 이들의 비중을 높이는 것이 효과적이다. 실제로 글로벌 제약 기업의 한 관리자는 자사에 핵심적인 기술을 다루는 프로젝트의 경우 인도나 중국 같은 나라에선 비밀 누설 금지 협약confidentiality & nondisclosure agreements 이행이 선진국에 비해 잘 이루어지지 않기 때문에 해당 프로젝트 내 이들 나라의 연구원 비중을 낮춘다고 언급했다[23].

성공적인 국제 R&D를 위한
본사 역할의 중요성

결론적으로 고도의 기술 지식이 집약된 지역이나 저임금의 인력 수급이 쉬운 국가에 연구소를 설립한 것만으로 세계시장을 선도할 수 있는 혁신이 만들어지지는 않는다. 산재한 R&D 난제들을 적시에 해결하지 않은 국제 R&D는 오히려 기업의 자원만 소모해 세계에서 기업의 경쟁우위를 오히려 저해할 수 있다.

한국기업의 사례에서 알 수 있듯이 국제 R&D 경영의 난제들을 해결하는 데 있어서 본사의 역할이 중요하다. 따라서 본사 관리자들은 해외 연구소의 R&D 상황과 보유한 기술 지식의 가치를 정확하게 파악하기 위해 여러 방면에서 본사와 해외 연구소 간의 의사소통 채널을 마련해야 한다. 그리고 연구소가 있는 해외 국가의 기술 제도와 경쟁 기업들을 자세히 살펴 중요 지식 및 인적자원을 보호하고, 필요하다면 해외 R&D 프로젝트의 세부 사항을 조율하고 자국 연구소의 혁신 역량과 본사의 지식 재산권 역량을 동원해야 한다.

특히 본사 경영진이 염두에 두고 있어야 하는 것은 경영학자 줄리안 버킨쇼 Julian Birkinshaw가 주장했듯이, 본사가 모든 것을 알고 있기에 해외 연구소가 본사에 별로 중요하지 않은 존재로 인식하는 사고방식을 버려야 한다는 것이다[16]. 해외 연구소와 본사는 한 몸을 이룬다. 해외 연구소는 본사가 해외에 산재한 기술 지식을 인식할 수 있게 도와주는 감각 기관이며, 동시에 해외 자회사의 효과적인 운영에 필요한 정보를 전달하는 신경과 같은 역할을 한다. 기업의 성공적인 국제화를 위해 본사는 해외 연구소를 효율적으로 조정하고, 받아들인 기술 지식을 처리하는 두뇌 역할을 충실히 수행해야 할 것이다.

중소기업의 해외진출 전략과 글로벌 경영

진병호(미국 University of North Carolina at Greensboro 석좌교수)

한국 중소기업의 발전 과정과 OBM 상황,
해외시장에서 성공한 중소기업 브랜드를 유형별로 분석한다.
또한 중소기업에서 세계적인 명품 브랜드로 성장한
이탈리아 브랜드를 분석한다.

2.1
한국 중소기업의 해외진출:
앞으로 전진과 글로벌 리더십을 위한 제언

한국의 중소기업은 전체 사업체의 99.9%를 차지하며, 전체 고용의 86.8%를 차지한다[1]. 이는 중소기업 고용에서 영국의 60%, 미국의 48%에 비해 매우 높은 비중으로, 한국 중소기업이 한국경제에 미치는 영향이 매우 중대하다는 것을 직접 보여준다[2][3]. 그러나 해외 수출 면에서 볼 때 중소기업은 약 4%만이 직접 수출하고 있고 간접 수출을 합해 10% 정도에 불과하다[4]. 한국의 작은 내수시장을 볼 때 중소기업의 생존과 성장, 그리고 청년실업 문제는 해외진출을 통해서만 가능하다.

한국 중소기업이 세계시장에서 경쟁력을 갖추면서 자사 브랜드로 해외시장에서 성공한 히든 챔피언들이 꾸준히 늘고 있다. 그러나 혁신하지 않는 기업은 도태되기 마련이기에 중소기업은 끊임없는 혁신이 필요하다. 세계무역기구WTO는 한국을 선진국a high-income developed country으로 분류한다[5]. 이제 세계는 한국을 값싼 노동력을 기반으로 한 수출국으로 보지 않으며 삼성, LG, 현대 등 글로벌 브랜드를 지닌 IT 강국으로 보고 있다. 선진국 지위에 올라선 한국의 중소기업이 선진국답게 세계시장에서 리더십을 발휘하기 위해서는 기존의 비즈니스 틀에서 벗어나 더 큰 도약을 해야 할 때이다. 왜냐하면, 후발 개발도상국에 한국은 따라 하고 싶은 나라로 벤치마킹되기에 한국의 발전 양상은 개발도상국에게 큰 영향력을 미친다. 그뿐만 아니라 중국 같은 후발 개발도상국들이 매우 발 빠르게 추격하고 있기에, 한국 중소기업의 존망은 우리가 글로벌 흐름에 어떻게 대응하는가에 달려 있다고 해도 과언이 아니다.

현재 세계시장은 4차 산업혁명을 비롯하여 온라인, 소셜미디어, 빅데이터를 적극적으로 이용한 새로운 비즈니스 모델의 등장으로 유통의 패러다임이 급변할 것으로 전망하고 있다. 이러한 새로운 비즈니스 모델은 기존 모델을 뒤집고 흔들어 결국 망하게 한다는 점에서 '파괴적 혁신disruptive innovation'이라고 할 정도의 엄청난 변화이다. 파괴적 혁신은 미국 하버드대 학자인 클레이튼 크리스텐센Clayton Christensen이 1995년에 발표한 개념으로 "제품이나 서비스가 시장 바닥부터 단순하게 시작하지만 끊임없이 성장해서 결국 기존 경쟁자를 갈아치우는 과정"으로 정의된다. 실제 미국에서는 이러한 환경변화에 전통적인 소매업체들이 부진을 면치 못하고 2017년 한 해만 300여 개 소매업체가 파산신청을 했고 9,452개의 소매점이 문을 닫았다. 이 수치는 2008년에 비해 53%나 증가한 것이다. 토이즈 알 어스Toys "R" Us, 라디오섀크RadioShack, 웻실Wet Seal, BCBG막스아즈리아BCBG Max Azria, 루21Rue21, 트루 릴리전True Religion과 같은 유수 소매업체 및 브랜드들도 도산하였다[6][7]. 이러한 급격한 변화의 시점에서 국내 중소기업이 꾸준히 성장하고 살아남기 위해서는 시대의 흐름을 정확히 간파하고 이에 부응하는 데 적극적인 노력을 기울여야 한다.

여기서는 그동안의 연구성과와 현재 세계시장의 변화를 바탕으로 중소기업의 현재와 앞으로 나아가야 할 방향을 분석하여 한국 중소기업에 통찰력을 제시하고자 한다. 우선 글로벌 시장에서 한국 중소기업의 성공 사례와 그 성공 요인을 살펴보고, 현재 글로벌 시장에서 주목하는 국내외 사례들을 통해 유통 및 소비자 시장변화를 간파한 후 급변하는 글로벌 유통 시장 환경을 고려하여 한국의 중소기업이 세계시장에서 가져야 할 통찰력과 안목, 리더십에 대해 제언하고자 한다. 아직 글로벌 시장에 진출하지 못한 중소기업은 앞서 언급된 진출 성공 사례에서 아이디어를 얻기 바란다. 이미 글로벌 시장에 진출하여 성공한 기업은 앞으로의 더 큰 진전과 글로벌 리더십을 위해 다음에 소개하는 사례들을 통해 혜안을 갖기 바란다.

한국 중소기업의
해외진출 상황

자사 브랜드로 성공한 대표 기업 7곳을 두 가지 유형으로 나누어 살펴보고자 한다. OEM에서 OBM으로 발전한 유형, 그다음으로 자사 브랜드로 정면 돌파한 유형으로 구분해 분석해보았다[8]. 다음 사례들을 통해 한국 중소기업이 초기 OEM 수출 시절부터 현재에 이르기까지 어떠한 과정을 거쳐 글로벌 시장에서 성공했는지 알아보자.

| OEM에서 OBM으로 발전한 사례 |

선진국과 개발도상국의 중소기업은 자원이 부족하다는 점에서는 비슷하지만, 해외진출 양상에서는 다소 다르다. 선진국의 중소기업은 자국 시장에서 축적된 지식으로 자체적으로 해외진출이 가능한 반면, 개발도상국의 중소기업은 대개 노동력을 이용한 OEM Original Equipment Manufacturing, 주문자 생산방식으로 해외진출을 한다. OEM은 주문자가 원하는 대로 생산하고 주문자의 상표를 부착하는 방식으로 특별한 기술이나 많은 자본이 필요하지 않다. 아시아 개발도상국을 연구한 Hobday(1994)는 중소기업은 OEM, ODM Original Design Manufacturing, 제조업자 개발생산, OBMOriginal Brand Manufacturing, 자체상표 생산방식 과정을 통해 발전한다고 제시한다[9]. 실제로 한국의 경제발전에는 1960년대 OEM 수출이 가장 큰 근간이 되어왔다. 값싼 노동력으로 인형, 의류, 가발과 같은 노동집약적인 산업에서부터 시작하여 화학, 소형가전, 부품 등으로 발전해왔고, 이 과정에서 많은 업체들이 단순노동력을 제공하는 기업에서 벗어나 제품개발 기능을 더한 ODM 기업으로 도약했다. ODM은 바이어에게 자사에서 개발한 제품을 판매하여 부가가치를 창출하지만 주문자의 상표를 부착한다는 점에서는 OEM과 같다. 그러나 그다음 단계인 OBM은 제품 디자인, 생산, 마케팅을 모두 담당한다는 점에서 OEM, ODM과는 근본적으로 다르다. 사실 OEM에서 시작하여 ODM을 거쳐, OBM으로 성공한 기업은 그리 많지 않다. 대표적인 성공 기업으로는 쿠쿠전자, 한국도자기 등을 들 수 있다[10]. 실패가 많은 것은 OEM, ODM과 달리 OBM은 소비자 이해부터 시작하여 마케팅 브랜딩과 같은 다양한 능력이 요구되기 때문인데, 제조 마인드에서 마케팅 마인드로의 전환 과정에서 많은 기업들이 실패한다. '그림 1'에서 보는 바와 같이 국제화는 단순 제조에서 브랜드를 개발하는 단계로 발전하는데, OBM으로 갈수록 이익이 많아지지만 많은 투자가 요구된다. 즉 마케팅, 소비자에 대한 통찰력, 유통, 서비스, 글로벌 경영과 같은 완전히 다른 마인드 셋이 필요하다[11].

Gereffi(1994, 1999)는 OEM 업체들이 ODM, OBM 업체로 발전 가능한 이유를 의류산업을 예로 들어 'Global Commodity Chain(GCC) framework'로 설명한다. 한국, 홍콩, 대만과 같은 개발도상국 의류업체들은 선진국의 주요 브랜드나 유통업체에 납품하는 과정을 거치면서, 의류 품질을 향상시키고 관련 기술을 습득할 뿐 아니라 생산 네트워크를 구축하게 된다. 이러한 경험이 훗날 자사 브랜드 개발에 큰 도움이 된다는 것이다[12][13]. 실제 우리나라의 많은 의류 브랜드들이 이러한 과정을 거쳤다. 파크랜드, 신원 베스띠벨리, 유림 메르꼴레디는 OEM 수출로 시작하여 노동력 상승으로 수출경쟁력이 떨어지자 내수시

▨ 그림 1. 국제화 단계

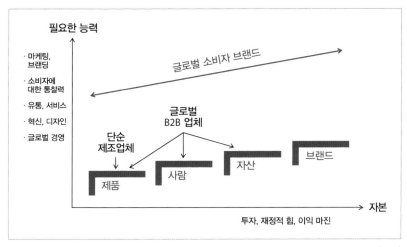

Kumar & Skeenkamp(2013)

장으로 진출한 예에 속한다[14]. 한세실업, 글로벌세아, 영원무역의 경우는 한국의 수출경쟁력이 떨어지자 중국, 베트남, 인도네시아 등 인건비가 저렴한 곳으로 이동하여 계속하여 수출을 하고 있다. 한세실업의 경우 미국인이 입는 옷 세 벌 중 한 벌은 한세가 만들었다고 할 만큼 여전히 막강한 의류 수출 벤더지만, 수출과 동시에 자사 브랜드(TBJ, Andew, BUCKAROO)도 개발하여 국내에 유통하고 있다[15].

OEM과 OBM의 비즈니스 구조와 경쟁방식은 근본적으로 다르다. OEM 수출업체는 몇몇 대기업이 원하는 제품을 가장 저렴하게 생산하면 되고 R&D, 마케팅, 브랜딩 능력이 거의 필요 없다(표 1). 단지 효율적으로 제품을 생산하는 것이 중요하다. 반대로 자사 브랜드로 수출하는 경우는 수백만 명의 글로벌 소비자에게 이성적·감성적으로 어필해야 하기에 소비자에 대한 통찰력이 필요할 뿐만 아니라, 소비자가 원하는 다양한 상품을 좋은 가격과 품질로 신속하게 공급하고, 세련된 마케팅 등을 통해 확실한 브랜딩을 해야 한다. 그뿐만 아니라 최종 소비자에 이르는 유통 구조 및 서비스에 대한 이해도 필요하다. 즉 OEM 단계에서의 핵심역량은 생산이지만, ODM에서는 제품혁신, OBM 단계에서는 마케팅이 된다. OBM 방식은 다양한 능력이 필요한 만큼 이익도 크다. '표 1'에서 보는 바와 같이 OEM으로 수출할 때 총마진 및 영업 마진이 각각 7%, 2%인 것에 비해 자사 브랜드로 수출할 때는 41%, 31% 정도로 월등히 높아진다. 이러한 발전 양상은 한국뿐만 아니라 OEM으로 경제를 일으킨 대만, 홍콩, 중국에서도 비슷하다. 현재 중국은 OEM, ODM 단계를 거쳐, OBM을 향한 열띤 경주를 하고 있기에, 한국 중소기업의 선전이 그 어느 때보다 중요한 상황이다.

■ 표 1. OEM 수출업체와 OBM 수출업체의 비즈니스 구조 및 경쟁방식의 차이

	OEM 수출업체	OBM 수출업체*
생산 비용(%)	93%	59%
총마진(%)	7%	41%
영업 마진(%)	2%	31%
주요 고객	하나 또는 몇 개의 대기업	수백만 명의 소비자, 주로 중간상을 통해 판매
가치의 원천	대기업이 원하는 제품을 가장 저렴하게 생산	이성적 · 감성적 가치, 분야마다 다름
R&D	주요 고객으로부터 제품 사양과 디자인이 오기 때문에 거의 필요 없음	소비자에 대한 통찰력이 필요
생산	몇 개 안 되는 제품을 대량생산하기 때문에 효율성이 중요함, 주문 후 생산	다양한 제품을 생산하기 때문에 빠른 대응 및 품질과 원가가 중요함, 판매를 위해 미리 제작
마케팅/브랜딩	거의 필요 없음	세련된 마케팅 및 뚜렷한 브랜딩 구조가 필요
유통/서비스	거의 필요 없음	최종 소비자에 이르는 유통구조, 서비스 등이 필요

*애플컴퓨터 기준. 분야마다 다름

Kumar & Skeenkamp(2013) 재구성

선일금고제작, ㈜파세코, 오로라월드㈜, ㈜트렉스타 등도 OEM으로 시작하여 OBM에 성공한 한국기업들이다. '표 2'에서 보는 바와 같이 1970~1980년 대에 설립되어 창업과 동시에, 혹은 몇 년 이내에 OEM 수출에서 시작해 OBM 으로 세계시장에 진출하는 패턴을 보인다. 이 중 오로라월드㈜와 ㈜트렉스타의 경우 글로벌 시장에 적극적으로 대응하기 위해 해외에 생산법인과 판매법인을 두고 있다.

표 2. OEM에서 OBM으로 도약한 한국 중소기업의 사례 요약

	선일금고제작	㈜파세코	오로라월드㈜	㈜트렉스타
주요 수출품목	금고	석유난로, 열풍기, 빌트인(built-in) 가전	봉제인형	아웃도어 신발 및 의류
창립 연도	1972	1974	1981	1988
OEM 수출 시작	1976	1980 초반	1981	1988
OBM 수출 시작	1999 추정(호주)	1993(요르단)	1992(미국)	1994(일본)
총 해외진출국 수	80	23	80	61
수출 비중	80%	55%	95%	40%
해외 판매법인	–	–	미국, 홍콩, 영국, 독일, 중국	미국
해외 생산법인	–	–	중국, 인도네시아	중국
해외 브랜드명	Eagle Safes, Lucell	Paseco, Xime, Kerona, Turbo	Aurora	Treksta

선일금고제작

1972년 설립된 선일금고제작은 1976년 호주에 OEM 수출을 시작하여 45년 이 지난 현재 5대륙 80여 개국에 수출하는 세계 내화금고 부분 1위 기업이다. 선일금고제작은 총기 보관용 특수금고를 중국에서 생산하는 것을 제외하고는

총 130여 명의 직원을 고용하여 경기도 파주 공장에서 생산하는 토종 한국기업이다(2014년 기준). 매출의 80%가 해외에서 이루어지며, 국내 금고시장 점유율은 70%로 롯데, 신세계, 현대 백화점 및 50여 개 대리점에서 이글세이프Eagle Safe와 루셀LuCell이란 자사 브랜드로 판매되고 있다. 선일금고제작은 1990년대에 이르러 공장 설비 자동화 및 자체 기술혁신을 통해 ISO 9001 인증 및 미국 UL 인증을 획득하고 ODM 수출을 시작했다. 현재 선일금고제작은 ODM과 OBM을 병행하고 있는데 그 비중이 각각 50% 정도이며, OBM 비중이 계속 증가하는 추세이다. 선일금고제작의 자사 브랜드 판매 시장은 한류의 영향으로 한국에 대한 이미지가 좋은 아시아, 중동, 아프리카 지역이며, 특히 인테리어 가구처럼 보이는 고급스러운 디자인의 가정용 금고인 루셀은 싱가포르, 이란, 베트남, 필리핀 등지에서 상류층 소비자들이 선호하는 브랜드로 활발히 수출되고 있다. 선진국에는 아직 ODM 수출이 OBM 수출보다 활발하다.

㈜파세코

1974년 히터용 심지 생산업체인 신우직물공업사로 시작된 ㈜파세코는 2018년 현재 280여 명의 직원을 두고, 석유난로와 열풍기 생산량의 90%를 해외 23여 개국에 추출하는 회사로 성장하였다. 그 밖에도 내수 주력상품인 빌트인built-in 주방기기, 비데, 업소용 주방기기, 캠핑용품 등을 생산한다. 특히 석유난로는 세계시장 점유율 60%로 업계 1위를 차지하고 있다. ㈜파세코는 1983년 OEM으로 시작하여, 1994년 미국 UL 인증을 획득한 후 ODM 수출을 시작했다. 선진국인 미국, 캐나다, 프랑스에서는 100% ODM 수출이지만 중동, 러시아에는 자사 브랜드 수출 비중이 훨씬 크다.

오로라월드㈜

1981년 봉제인형 OEM 생산업체인 오로라무역상사에서 출발해 1990년대 초 자사 브랜드를 개발한 오로라월드㈜는 현재 전 세계 80여 개국에 진출해 총 매출의 95% 이상을 해외에서 벌어들이는 명실상부한 글로벌 기업으로 성장했다. 전체 매출에서 85% 정도가 자사 브랜드 수출이고, 15%만이 OEM으로 수출하고 있다. 또한 해외 매출의 50%가 미국에서 발생하며, 유럽, 러시아 등이 35%를 차지한다. 현재 미국, 홍콩, 영국, 독일, 중국 등 총 5개국에 글로벌 판매 및 마케팅 담당 해외법인이 있으며, 중국과 인도네시아에 생산법인을 두고 있다. 이후 문화콘텐츠 시장으로 사업을 확장해 국내 KBS에도 방영된 '유후와 친구들'을 제작했고, 오로라게임즈를 설립해 게임콘텐츠 유통시장에도 뛰어들었다. 미국 내 2,500여 건의 디자인권, 국내 및 해외에서 약 107건의 상표권과 16여 건의 디자인 의장권을 보유하고 있다.

㈜트렉스타

1988년 설립된 ㈜트렉스타 역시 해외 브랜드의 고급 등산화 OEM 생산업체로 출발하였다. 1994년 런칭한 자체브랜드인 트렉스타Treksta는 파타고니아Patagonia, 컬럼비아Columbia, 노스페이스The North Face 등에 이어 전 세계 아웃도어 신발 시장에서 14위로 자리매김하고 있다. 현재 미국, 아시아, 유럽 등 61개국에 진출해 있고, 부산과 중국 공장에서 50:50 비율로 제품을 생산하고 있다. 전체 매출 중 수출이 40% 이상이며 약 220명의 직원과 80여 명의 R&D 인력을 고용하고 있다.

| 자사 브랜드로 정면 돌파한 사례 |

해외시장에서 자사 브랜드로 성공한 중소기업들이 모두 OEM으로 시작한 것은 아니다. 앞서 4개 회사의 사례처럼 1970~1980년대 창업한 대부분의 중소기업은 OEM으로 시작하였으나, 1990년대 이후에 창립된 중소기업들은 국내시장을 타깃으로 하여 처음부터 자사 브랜드로 시작하는 경우가 대부분이다. 해브앤비㈜처럼 애초부터 해외시장을 염두에 두고 시작한 경우도 있지만, 대부분이 ㈜해피콜처럼 국내시장에서 어느 정도 성장한 기반을 바탕으로 해외시장에 진출하거나, ㈜디카팩 같이 국내시장 진출 장벽을 해외시장 진출을 통해 극복한 경우이다. 이 세 가지 사례를 간단히 요약한 후 한국 중소기업 브랜드의 성공 요인을 알아보고자 한다.

㈜해피콜

1999년에 설립된 ㈜해피콜은 프라이팬을 주력상품으로 생산하는 주방용품 업체이다. 눌어붙지 않는 양면프라이팬으로 홈쇼핑에서 1시간 만에 2억 원의 매출을 올리는 기염을 토했고, 이를 발판으로 창립 2년 만에 미국 수출을 시작했다. 현재 35개국에 진출해 있으며, 500여 명의 직원과 1,270억 원의 매출액을 달성한 기업으로 발전했다. 전 제품을 김해에 있는 두 군데 공장에서 생산하며, 전체 매출의 약 30%가량을 해외에서 달성한다. 활발한 해외 마케팅을 위해 5개 지역(미국, 중국, 대만, 태국, 인도네시아)에 현지법인을 두고 있다. 특히 중국과 베트남 주방용품 시장에서 한국제품이 1위를 점유하고 있는데, HAPPYCALL이 주요 브랜드 중 하나이다. 우수한 품질의 주방용품을 만들어보자는 의지로 출발한 ㈜해피콜은 제품개발을 위해 매출의 약 10~20%를 R&D 센터에 투자하고 있으며, 국내외 특허 58건, 실용신안 62건 등을 보유하고 있다.

해브앤비㈜

2004년 설립된 해브앤비㈜는 BB크림을 전문으로 한 화장품 회사이다. 해브앤비㈜는 OEM 경험이나 생산공장도 없이 외주 생산만으로 자사 브랜드인 닥터자르트^{Dr. Jart'}를 2011년 미국 내 화장품 편집숍 세포라^{Sephora}에 입점시키는 데 성공한다. 직원 수 137명, 매출 235억의 해브앤비㈜는 전체 매출에서 수출이 차지하는 비중이 50%이다. 창업자 이진욱 대표는 건축학도로 포화된 건축산업에 뛰어들기보다는 세상을 더 알기 위해 글로벌 비즈니스를 해야겠다고 마음먹는다. 처음에는 피부과에서 사용하는 제품을 개발, 판매하지만 시장이 너무 작다는 것을 인지하고 일반 대중을 위한 화장품 닥터자르트를 2006년에 론칭한다. 해브앤비㈜는 처음부터 글로벌 시장을 염두에 두었지만, 해외시장에서는 국내시장에서의 브랜드 인지도도 중요하게 생각했기에, 국내시장에서 발판을 쌓기 위해 백화점에 입성하여 인지도를 높여갔다. 세포라 이외에도 영국의 대표 멀티 드러그스토어인 부츠Boots, 미국의 상류층을 대상으로 한 고급 백화점 헨리벤델Henri Bendel, 면세점 등을 통해 유통되고 있다.

㈜디카팩

2005년 설립된 ㈜디카팩은 디지털 기기 방수케이스 전문업체로 강원도 원주에 본사 및 생산공장을 두고 100% 국내 생산만으로 58억 매출, 60개국 수출을 이루어냈고, 국내시장 점유율 1위, 세계시장 점유율 1위 기업으로 성장했다. ㈜디카팩은 사업 초기에 국내시장에서 외면당하고 해외에서 성공한 후 이를 발판으로 국내에 금의환향한 경우이다. ㈜디카팩은 최고의 기술력으로 최상의 상품을 제공한다는 경영 이념 아래 매출의 7%를 R&D에 투자하며, 30여 건의 국내외 특허를 보유하고 있다. OEM으로 시작하여 OBM으로 성공한 4개 회사의 사례와는 반대로, ㈜디카팩은 OBM으로 시작하여 OEM으로 가는 특이한 양상을 보인다. 전영수 대표는 장기적인 브랜드 성장을 위해 방수팩은 디카팩이라는 닉네임이 붙을 때까지 OEM을 하지 않겠다는 의지를 관철해 브랜드가 안정된 이후 OEM을 시작했다.

| 한국 중소기업의 성공 요인 |

이상과 같이 자사 브랜드로 해외시장에서 성공한 국내 중소기업 7개 사를 간단히 살펴보았다. 이들의 성공 요인으로 글로벌 경쟁력을 갖춘 확실한 제품력, 과감한 R&D 투자, 틈새시장 공략, 브랜드 인지도를 높이기 위한 적극적인 마케팅 등 네 가지 요인을 들 수 있다.

확실한 제품력

모든 성공 사례가 그러하듯이 7개 기업의 제품 품질은 매우 뛰어나다. 모든 비즈니스의 핵심은 가치창조이다. 즉 고객에게 어떤 가치를 제공하는가의 문제다. 고객이 내는 가격은 그들이 원하는 가치를 제공한 대가이기에 제품력을 따지는 것은 너무나 당연하다. 특히 중소기업이 살아남기 위해서는 제품이 특출나지 않으면 안 된다는 뼈저린 자각이 있기에, 기존 제품의 영역에서 잘 만드는 것이 아니라, 아예 다른 새로운 제품을 시장에 내놓으며 시장을 선도해야 한다. 기존의 패러다임과는 다른 방식으로 접근하는 것으로, 이를 '혁신'이라고 부른다. 혁신의 배경에는 강한 문제의식이 있다. 많은 사례에서 창업주는 각자의 제품 영역에서 강한 물음표를 던진다. '왜 등산화는 무거워야 하는가?'라는 물음이 ㈜트렉스타로 하여금 초경량 운동화를 개발하게 했고, 이는 특허 획득으로 이어졌다. 비 올 때 측량한 사진 자료들이 비에 젖어 못 쓰게 되었을 때, ㈜디카팩 창업주는 비 올 때 카메라를 보호해주는 방수팩의 필요를 직감하고, 전문 분야도 아닌 곳에서 각고의 노력 끝에 카메라방수팩을 개발한다. 생선을 많이 구워 먹는 한국에서 '왜 생선구이용 프라이팬이 없는가?'라는 물음이 ㈜해피콜로 하여금 냄새가 나지 않으면서 생선을 뒤집지 않아도 되는 양면프라이팬을 개발하게 했다. 이는 전 세계 유수의 주방용품 회사들도 생각지 못한 매우 혁신적인 제품이다.

과감한 R&D 투자

제품력은 그냥 생기는 것이 아니라 과감한 R&D 투자가 뒷받침되어야 한다. 그러나 하이테크 분야처럼 엔젤펀드가 있었던 것도 아니고, 대박을 기대하면서 투자해주는 투자자도 거의 없었다. 7개 기업의 창업주들은 자산을 과감히 투자했는데, 심지어 어느 창업주는 집을 팔아 R&D에 투자하기도 했다. 이렇게 혼신의 정성을 다해 개발한 제품은 글로벌 시장에서 인정을 받았고, 그 대가는 매출로 이어졌다. 매출이 좋으니 R&D에 재투자할 수 있는 여력이 생기는 선순환이 계속되었다. 적게는 매출의 2%, 많게는 20%까지 R&D에 투자한다. ㈜파세코의 경우 고용된 사무인력의 반 이상이 기술개발 및 품질관리에 투입된다. 이러한 R&D 투자율은 삼성과 LG의 6%, 애플의 2.6%와 비교해봐도 매우 높은 수치다. R&D에 많은 투자를 하는 구글이나 마이크로소프트사의 투자율이 13% 정도인 것을 봤을 때, 자본과 인력이 부족한 중소기업이 매출의 20%까지 R&D에 투자하고 있다는 것은 매우 놀라운 사실이다. 7개 기업은 한결같이 R&D의 중요성을 설파하고 있다. 이들은 기술개발을 위한 R&D에서 더 나아가, 디자인 개발에도 과감히 투자했다. ㈜해피콜의 경우 2010년부터 세계적인 영국 디자인 업체 탠저린Tangerine에 디자인을 맡기고 있다.

틈새시장 공략

틈새시장이란 시장의 규모는 작지만 창출되는 수익은 매우 높은 시장을 의미한다. 자본이 부족한 중소기업에서 모든 것을 다 잘하는 것은 불가능하기에, 잘할 수 있는 것 하나를 선택해서 집중하는 것이 좋다. 7개 기업은 모두 선택과 집중이라는 기본정석에 매우 충실했다. 주력상품 하나에만 총력을 기울인 것이다. ㈜트렉스타는 아웃도어 등산화에, ㈜파세코는 석유난로에, ㈜디카팩은 카메라방수팩에, ㈜해피콜은 프라이팬에 총력을 다한다. ㈜해피콜의 경우 독자적인 발명과 특허출원을 통한 기술확보에 총력을 기울이고, 제품 디자인은 과감히 유명 해외업체에 의뢰하는 방식으로 선택과 집중의 원칙을 따르고 있다. 이러한 품목들은 한결같이 대기업이 과점하고 있는 분야가 아니기에 상대적으로 경쟁이 적어 두각을 나타내기 쉽다.

브랜드 인지도 높이기

브랜드의 중요성을 일찍이 간파하고, 인지도 제고를 위해 자본의 한계 속에서도 효과적인 브랜딩 및 마케팅을 전개한 것 또한 7개 기업의 공통적인 성공 요인이다. OEM이나 ODM만 하면 영원히 브랜드 가치를 개발할 수 없다. 선일금고제작의 경우 OEM, ODM으로 수출되는 제품에도 반드시 '이글세이프' 상표를 부착하도록 하고, 자사 브랜드인 '이글세이프'나 '루셀'을 구입하는 경우 인센티브를 제공해 자사 브랜드 제품의 수출을 유도했다. ㈜파세코는 OEM 제품을 원할 경우, 파세코 자사 브랜드 제품을 3배 이상 주문하는 조건으로 공급한다. ㈜디카팩은 사업 초기부터 자사 브랜드만을 고집했고, 어느 정도 디카팩이라는 브랜드가 알려질 무렵부터 OEM을 허용했다. 더구나 OEM 수출의 경우에도 "Made by DiCaPac", "Made in Korea"를 반드시 넣는 조건으로만 수출했다. 또한 이들 기업은 해외 전시회에 적극적으로 참가하여 브랜드 인지도를 제고하는 데 큰 효과를 보았다. 보통 국내 중간상이나 해외 유통업체를 통해 수출하는 경우, 대부분이 중간상들에게 의존하기 마련이다. 그러면 중간상의 마케팅 및 영업능력에 브랜드의 사활이 걸리게 된다. 하지만 이들 기업은 중간상에 안주하지 않았고, 해외 유명 전시회 직접 참가하여 브랜드를 적극적으로 홍보하고, 새로운 바이어를 발굴하는 데 노력을 기울였다. 제품력이 아무리 좋아도 사람들이 알지 못하면 매출로 이어지지 않기 때문이다.

이러한 네 가지 성공 요인은 그다지 놀라운 비법이 아니다. 어찌 보면 너무나 당연한 내용이며, 어디에서인가는 분명 다 들었을 법한 얘기일 것이다. 그러나 부뚜막의 소금도 집어넣어야 짜며, 구슬도 꿰어야 보배이듯 실제 전략적인 결정을 통해 행동으로 나타날 때야 그 효과가 나타난다. 그리고 실제 전략적 결정과 행동 뒤에는 사례마다 창업주의 뜨거운 열정이 숨어있다. 실제로 창업 분야 연구에서는 창업주의 창업정신을 중소기업 성공에 매우 중요한 요소로 보고 있다.

앞선 성공 사례 중 선일금고제작의 창업주인 故 김용호 회장은 전쟁고아 출신으로 숙식만 해결되면 무슨 일이든 하겠다는 마음으로 중고금고 판매점에 취업한다. 김용호 창업주는 일본에서 중고금고를 수입해 수리한 후 재사용하는 우리나라 금고 시장의 현실을 보고, 내 손으로 좋은 품질의 금고를 만들겠다는 의지를 불태운다. 이후 무일푼으로 미국으로 건너가 열쇠수리공으로, 금고회사 디볼드Diebold의 영업사원으로 50여 개국을 돌면서 금고제작 관련 기술을 습득하고 독일로 건너가 금고제작 공장을 염탐하기도 했다. ㈜파세코는 원래 석유난로 심지를 생산하는 업체였다. 1970년대 당시 석유난로 고장이 많았고 이를 심지 탓으로 돌리곤 해, 심지 탓이 아니라는 것을 증명하기 위해 석유난로를 분해하고 조립하며 연구하고 몰두한 끝에 노하우가 쌓여 석유난로 사업에 본격적으로 뛰어들게 된다. 미국 시장에 진출하려면 UL 인증은 필수다. UL 인증을 획득하려면 난로가 넘어졌을 때 불꽃이 10초 이내로 꺼져야 하고, 연료통에 1분간 일정한 압력의 공기를 주입했을 때 석유가 새지 말아야 하며, 안전장치를 6천 회 돌려도 소화 안전장치의 이상이 없어야 한다. 이를 위해 유병진 회장은 직원들과 회사에서 숙식을 해결하며 도전한 끝에, 대기업도 번번이 실패한 미국 UL 인증을 획득하며 당당히 미국 시장에 진출한다. ㈜트렉스타의 권동칠 대표의 경우 해외시장에서 무명의 한국 브랜드를 뿌리내리고 말겠다는 신념이 매우 확고하였다. 그는 OEM, OBM을 각각 손님과 자식에 비교했다. OEM은 아무리 오더가 커도 결국은 떠나는 손님이고, 브랜드는 서울에 살아도 미국에 살아도 내 자식이니, 내 자식과 같은 브랜드를 만들어야겠다는 생각을 늘 하고 있었다고 한다. 해브앤비㈜의 이진욱 대표도 한국 사람들이 랑콤과 같은 프랑스 브랜드 화장품을 선호하는 것을 보고, 세계 모든 여성이 한국 화장품을 쓰게 하겠다는 포부를 품고 도전 끝에 성공하였다. ㈜해피콜의 이현삼 대표 역시 주방용품 유통사업에서 소비자들이 해외 브랜드 제품을 선호하는 것을 보고, 한국 브랜드를 키워야겠다는 강한 열망을 품는다. 이렇듯 중소기업에서는 창업주의 의지 및 혜안이 기업의 사업 방향에 매우 중대한 영향을 미친다. 미국의 100분의 1, 중국의 96분의 1밖에 안 되는 작은 나라 한국에서 강한 열망 없이 글로벌 브랜드를 만들기는 쉽지 않은 일이다. 그러므로 성공한 중소기업에서 젊은 세대에게 이러한 강한 열망을 가지도록 독려하고, 노하우를 전수해주는 일에 소명감을 가져 주었으면 하는 바람이 크다. 이렇게 해서 세계시장에서 성공한 한국 브랜드들이 많게 되면 한국의 국가 이미지가 올라가고, 세계시장에 진출해 있는 중소기업에도 도움이 될 것이므로 결국은 서로가 윈윈하게 될 것이다.

현재 글로벌 시장에서
주목해야 할 사례

지금까지 한국 중소기업 브랜드의 성공 사례를 살펴보았다. 이들은 위기마다 전략적 결정을 통해 발전해왔다. 작은 국내시장을 돌파하고자 창업 초기부터 전략적으로 수출을 겨냥하고(해브앤비㈜), 국내에서의 외면을 수출로 돌파하고(㈜파세코, ㈜디카팩), 인건비 증가로 국내에서 OEM이 어려워지자 브랜드를 개발하여 국내시장에 자사 브랜드로 진출한다(㈜트렉스타). 또한 인건비가 저렴한 곳에 해외공장을 설립하고(오로라월드㈜), 더 큰 시장에 진출하기 위해 해외에 판매법인을 설립한다(오로라월드㈜, ㈜트렉스타, 해브앤비㈜, ㈜디카팩). 특히 1980년대 중앙난방아파트가 확산되면서 석유난로 판매가 어려워지자 120여 개에 달하던 난로회사들이 줄줄이 도산했을 때, ㈜파세코는 오히려 석유난로 제품 차별화를 위한 기술개발에 더욱 매진해 미국의 까다로운 UL 인증을 취득하고, 대기업도 뚫지 못한 미국 시장을 개척한다. 이후 사막이 대부분인 중동의 유목민들은 텐트 생활을 하기 때문에 이동 가능한 난방기기가 필수적이라는 점을 주목하고 난방뿐만 아니라 취사까지 가능한 취사 겸용 이동식 난로를 선보이며 중동 시장에서 폭발적인 반응을 일으킨다. 이처럼 한국 중소기업은 위기 때마다 전략적 결정으로 위기를 모면하고 위기를 기회로 바꿔왔다. 따라서 한국의 중소기업들은 기업가 정신으로 위기를 기회로 보고 적극적으로 대응해야 할 것이다[16].

앞서 언급한 사례에서 보듯이 국내 중소기업들은 위기 때마다 경쟁자와는 다른 전략적 결정을 하고 이를 행동으로 옮겨 성공했다. 이들이 현재의 위치에서 더 발전하고 진정한 글로벌 강자가 되기 위해서는 세계시장의 트렌드에 매우 민감해야 한다. 적시에 움직이지 못하면 도태되기 때문이다. 국내 중소기업에 직간접적으로 관련이 있다고 생각하는 글로벌 시장 트렌드를 해외 역직구, 새로운 비즈니스 모델, 인수를 통한 성장 등 세 가지로 나누어 소개한다.

| 해외 역직구를 이용한 수출 사례 |

국내의 많은 소비자가 미국의 아마존Amazon, 중국의 알리바바Alibaba를 통해 물건을 구매한다. 이를 온라인 해외 직접구매(수입), 즉 해외직구라고 부른다. 관세를 지불하고도 국내 가격보다 저렴해 젊은 층을 중심으로 해마다 꾸준히 증가해, 국내 온라인쇼핑몰보다 해외직구 시장이 더 빠르게 상승하고 있다. 거래 품목으로는 2015년 기준 의류, 패션 및 관련 상품이 전체 해외직구 거래액의 40.5%로 매우 높게 나타났다[17]. 이러한 추세는 한국뿐만 아니라 해외에서도 일반적인데, 이를 IOO^{International Online Outshopping}이라고 부른다. 해외직구 시장의 규모는 2014년 2,330억 달러에서 2020년 9,940억 달러로 증가할 것으로 전망된다[17]. 실제로 아마존에서 주문할 경우 중국, 일본에서 물건이 오는 경우가 적지 않다. IOO가 가장 활발한 나라는 중국, 미국, 영국이고, 미국의 아마존, 중국의 알리바바, 영국의 아소스_{asos}가 이 시장을 리드하고 있다. IOO를 통해 가장 활발한 소비를 하는 곳은 미국이며, 의류 및 액세서리가 가장 인기가 높은 품목이다[18].

이와는 반대로 해외 소비자가 국내 온라인쇼핑몰에서 물건을 구매하는 것을 온라인 해외직접판매(수출), 즉 역직구라고 한다. 쉽게 말해 전자상거래를 통해 수출한다고 이해하면 된다. 2016년 1분기 역직구 거래액은 4,787억 원으로 해외직구 거래액을 넘어선 만큼 역직구에 집중할 필요가 있다[17]. 고전을 면치 못하는 국내 의류업계와 달리 온라인 웹사이트 하나로 홍콩, 일본 등 동남아 소비자들에게 한국 의류 및 화장품을 당당히 판매하고 있는 온라인 의류 소매점이 있다. 바로 역직구를 통해 승승장구하고 있는 스타일난다이다.

2004년 오픈한 스타일난다_{stylenanda}는 2016년 매출이 1,300억으로, 매출의 절반 이상을 해외 판매가 차지한다. 스타일난다는 550명의 직원, 기업가치 1조 원, 유커들이 제일 선호하는 브랜드 1위, 일본 요미우리신문 선정 일본 10대가 가장 좋아하는 한국 브랜드 1위로 뽑힌 기업이다. CNN이 선정한 한국 10대 브랜드 중 하나이기도 하다[19]. 스타일난다의 김소희 대표는 21세의 나이로 자택에서 온라인쇼핑몰을 창업한다. 초기 사업 아이템은 매우 단순했다. 동대문에서 옷을 도매로 사와서 온라인을 통해 판매했다. 창업 5년 후인 2009년에는 화장품 사업에도 뛰어들어 화장품 자사 브랜드 3CE를 출시했다. 온라인쇼핑몰에서 시작하여 역직구뿐만 아니라 오프라인으로 해외로 진출해 현재는 세계적인 화장품 편집숍 세포라, 글로벌 면세점 체인인 DFS에 입점하는 등 일본 · 홍콩 · 싱가포르 · 중국 등 7개 국가에 59개 매장이 있다. 특히 일본에서는 2016

년 도쿄 신주쿠 이세탄백화점에 들어간 데 이어, 지난해 5월에는 하라주쿠에 대형 매장을 열며 '제3의 한류'를 이끄는 국내 대표 브랜드가 되었다.

스타일난다는 특별한 프로모션을 하지 않는다. 흔한 연예인 협찬도 없다. 주로 블로거나 SNS상의 입소문으로 외부 투자 없이 창업자 지분만으로 현재의 위치까지 왔다. 일본 이세탄백화점이나 세포라, DFS 면세점 등 모든 오프라인 유통은 입소문을 타고 그들이 직접 찾아와서 매장을 열게 되었다고 한다. 이처럼 스타일난다는 동대문 보세옷으로 K패션을, 자체 제작 화장품으로 K뷰티를 이끌고 있다. 창업자의 열정, SNS와 입소문을 통한 마케팅도 중요하지만 여기서 주목해야 할 부분은 바로 '역직구'이다. 스타일난다는 국내 온라인쇼핑몰로 시작했지만 한류팬 사이에 입소문이 나면서 해외로 배송하는 일, 소위 역직구에 의한 매출이 급상승했다. 이로 인해 해외사업부를 따로 두고 영어, 중국어, 일본어 홈페이지를 운영하고 있다[20].

스타일난다의 사례에서 보듯이 온라인, 즉 역직구를 통한 수출은 국내 중소기업에 있어 매우 큰 기회이다. 국내 중소기업이 해외시장에서 오프라인 유통망을 뚫기 위해 얼마나 많은 노력을 기울여야 하는지를 생각해보라. 많은 소비재 유통이 오프라인에서 온라인으로 넘어오고 있는 만큼, 온라인은 국내 중소기업들이 자사상품의 유통을 위해 반드시 뚫어야 하는 시장이다. 국내 중소기업의 온라인 수출을 위해서는 두 가지 방안을 생각해볼 수 있다. 첫째, 아마존, 알리바바와 같이 기존의 해외 대형 쇼핑몰을 통해 수출하는 것과 둘째, 한국의 큰 인터넷 쇼핑몰에 입점한 후 역직구로 판매하는 방법이다. 실제 소비자가 중소기업 브랜드를 선뜻 구매하기 쉽지 않기에, 아마존이나 알리바바, 지마켓처럼 잘 알려진 온라인쇼핑몰을 통해 판매하는 것이 좋다. 이들 쇼핑몰은 운영 노하우가 있고 배송 및 결제시스템도 잘 갖추어져 있어 소비자에게 신뢰를 준다. 따라서 한국 중소기업들은 국내외 인터넷 쇼핑몰을 적극적으로 이용한 역직구 판매에 주목할 필요가 있다.

해외전자상거래 국내 1위 플랫폼 기업인 카페24에 따르면, 해외시장에 진출한 한국 토종 전문 쇼핑몰은 2016년 말 5만 8,700곳인 것으로 나타났다. 2014년 말(2만 9,700곳)과 비교하면 불과 2년 새 두 배로 늘어난 셈이다[21]. 역직구 매출의 절대적 비중을 차지하는 곳은 중국으로 2016년 1분기에 전체 역직구 거래액 중 75.9%를 차지했다[17]. 이는 중국에서 인터넷으로 다른 나라 상품을 직접 구매하는 '하이타오족海淘族, 중국 해외직구족'이 급증하고 있기 때문이다. 동남아시아 역직구는 지난 3년간 연평균 29%의 성장률을 기록하며 빠르게 규모가 확대되고 있다[22]. 해외에 진출한 전문 쇼핑몰을 분석해보면 의류 전문 쇼핑몰과 뷰티 전문 쇼핑몰이 각각 47%와 14%로 가장 많았다[21]. 동남아시아 역직구 제품도 의류가 32%, 화장품이 14%를 기록해 패션과 뷰티 상품이 전체 수출액의 50%에 육박하는 수준이다[22].

실제로 많은 국내 인터넷 쇼핑몰이 역직구에 뛰어들었다. '표 3'에서 보는 바와 같이 이베이코리아는 2009년부터 이베이사이트를 수출 플랫폼으로 삼고, 해외전자상거래CBT, Cross Border Trade와 중소상인 해외판매지원플랫폼GEP, Global Export Platform을 통해 세계 200여 개국에 국내 제품을 수출하고 있다. SK플래닛의 11번가는 영문 11번가와 전 세계 배송관을 운영하고 있고, 인터파크, 쇼셜커머스 위메프와 쿠팡도 해외 배송을 시작했다. 종합 온라인 쇼핑몰인 롯데닷컴도 미국, 중국, 홍콩, 일본 등 해외 28개국을 대상으로 역직구 서비스를 시작했다. 롯데닷컴은 현재 2,000여 개 브랜드의 70만 개 제품을 판매하고 있고, 알리페이와 계약을 맺어 결제시스템도 완비했다. 홈쇼핑사인 GS샵과 CJ오쇼핑도 역직구 시장에 뛰어들었다.

▨ 표 3. 주요 유통업체의 해외 역직구 사업 현황

이베이코리아[a]	2006년 국내 오픈마켓 최초 영문숍인 'G마켓 글로벌숍'을 오픈후 중문 사이트와 일문 사이트를 차례로 오픈 국경 간 거래(CBT) 프로그램을 통해 중소기업 및 소상인들이 이베이를 통해 손쉽게 수출할 수 있도록 시스템 제공
11번가[b]	102국 대상 PC 웹에서 영 · 중문 통합 판매 플랫폼 '글로벌 11번가' 오픈
롯데닷컴[c]	28개국 대상 글로벌 롯데닷컴 운영
GS샵[d]	103개국으로 상품 배송하는 세계로 배송 서비스 운영
CJ오쇼핑[d]	CJ몰 중문관 운영
인터파크[e]	글로벌 쇼핑사이트 운영. 중국 소비자들을 위한 어플 '이바이고우(怡百购)' 운영
코오롱인더스트리[f]	해외배송 전문 통합쇼핑몰 '워너비K' 운영
LF[d]	온라인몰에 영어 및 중국어 지원 시스템 도입
제일모직[g]	온라인몰에 영문, 중문 페이지 운영 중국 · 미국 · 프랑스 · 호주 등 42개국으로 글로벌 배송
아모레퍼시픽[h]	알리바바가 운영하는 타오바오 쇼핑몰, 티몰 글로벌에 입점
LG생활건강[d]	알리바바가 운영하는 티몰 글로벌에 입점

a. 김영권, "이베이코리아 '대한민국 인터넷대상' 국무총리상 수상", 「파이낸셜뉴스」, 2017.12.1.
b. 윤희석, 내달 '글로벌 11번가' 나온다. 세계 102개국 대상 해외사업 나서, 「ETNEWS」, 2017.8.24.
c. 민경종, '글로벌 롯데닷컴, 롯데百 인기 상품 28개국 직배송', 「조세일보 」,2015.4.20.
d. 이선애, '유통업 역직구로 살려라', 「이투데이」,2014.12.1.
e. 김성우, "인터파크 '중국인 전용' 애플리케이션 개설"… '역직구 열풍 탓', 「헤럴드경제」, 2016.6.14.
f. 김현정, "내수 살리는 '新소비인간' 떴다 하면 박스로 구매… 중국發 훈풍 이어질까", 「아시아경제」, 2016.1.14.
g. 배영윤, "삼성물산 패션, 온라인 통합몰 'SSF샵' 새 단장", 「머니투데이」, 2016.12.18.
h. 박준호, "한국 이커머스 시장서 보폭 넓히는 알리바바… 국내 업체 '빨간불'", 「브릿지경제」, 2018.1.16.

　　반가운 소식은 실제 중소기업의 역직구를 돕는 서비스가 최근 들어 많이 증가했다는 것이다. 해외 쇼핑몰도 한류 붐으로 국내 브랜드 유치에 적극적인데, 중국의 최대 쇼핑몰인 타오바오Taobao는 현지법인 없이도 입점 가능한 티몰Tmall을 홍보하기 위해 내한하기도 했으며, 일본 최대 쇼핑몰인 라쿠텐Rakuten에도 한국관이 설치돼 중소기업청과 협약하에 중소기업 제조업체의 라쿠텐 진출을 돕고 있다[31]. 역직구 활성화에 가장 큰 걸림돌이었던 공인인증서 요구 및 고가의 배송비 또한 페이팔이나 알리페이와 같은 결제시스템을 사용하고 해외신용카드 결제시스템 도입으로 많은 부분 해소되고 있다. 국내 쇼핑몰 솔루션 업체인 카페24는 역직구 사업자들이 언어와 기술적 한계를 뛰어넘어 해외로 뻗어갈 수 있도록 원스톱 서비스인 '카페24 글로벌 비즈니스 플랫폼'을 제공하고 현지 마케팅도 지원하고 있다[32].

국내외 대형 쇼핑몰 입점을 통한 수출 이외에 철저히 현지화된 단독 쇼핑몰(현지 직판)로 수출하는 경우도 증가하고 있다. 즉 명함, 현수막, 단추, 블라인드, 모자, 단체 티셔츠와 같이 매우 특화된 제품들은 중국이나 일본에 단독 온라인몰로 진출하는 일이 많다. IT 기술이 발달하면서 국내 소비자들이 아마존이나 알리바바에서 물건을 사는 일이 불편하지 않은 것처럼 해외 소비자가 온라인으로 한국제품을 사는 것 또한 어려운 일이 아니게 되었다. 특히 미국 아마존이나 일본 라쿠텐이 대형 종합쇼핑몰 형태 위주인 것에 비해, 한국은 매우 전문화된 제품으로 특화된 상품 카테고리 쇼핑몰이 발달되어 있는 만큼 충분히 경쟁력이 있다. 이를 적극적으로 활용하여 역직구를 통한 수출 기회를 확대해보자. 이미 해외시장에 오프라인 유통망을 잘 형성한 중소기업도 이 역직구 시장을 간과해서는 안 된다.

| 새로운 비즈니스 모델 사례 |

현재 미국 시장에서 뜨고 있는 새로운 비즈니스 모델은 D2C Direct-to-Consumer, 즉 온라인에서 소비자와 직접 소통하고 판매하는 방식이다. 이는 기존의 온라인 판매와는 조금 다르다. 기존의 온라인 판매는 이미 오프라인 시장에서 성공한 후 온라인 웹사이트를 만들어 판매망을 더하거나, 이미 생산된 제품을 온라인 종합쇼핑몰이 판매하는 경우가 대부분이었다. D2C 모델은 개발한 상품을 온라인 판매부터 시작하여 오프라인으로 전개해나가는 것이 그 특징이다. 이는 중간에 도매상이나 다른 소매상을 끼지 않고 소비자에게 직접 판매하여 품질 대비 가격이 저렴하고, 마진이 높으며, 매우 전문화된 제품과 서비스로 기존 모델에서 간과되었던 시장을 공략한다. 이를 2007년 스탠퍼드대학교 출신 남학생 2명에 의해 설립된 남성 의류업체 보노보스Bonobos의 사례를 통해 살펴보자.

보노보스는 2011년 보스턴에서 시작하여 창립 10여 년 만에 직원 300명을 거느리고, 미국 전역에 30여 개가 넘는 오프라인 스토어인 가이드숍Guide Shop을 운영하고, 고급 백화점인 노드스톰Nordstorm에서도 판매되는 등 큰 성공을 거두었고, 2017년 월마트에 인수되었다. 12,700만 달러(약 1,360억 원)나 되는 투자를 유치했는데 이는 미국 남성복 업계에서 유례없이 큰 규모라고 한다. 의류에 대한 지식이 전혀 없는 남학생 둘이 시작한 보노보스의 성공 비결은 바로 가이드숍에 있다. 가이드숍이라고 불리는 오프라인 스토어에서는 가이드만 할 뿐이지 직접 제품을 판매하지 않는다. 가이드숍에서 200여 벌이 넘는 다양한 사이즈와 스타일의 팬츠, 셔츠 등을 입어보고 상담원의 친절한 개별 서비스를 받은 후 상품 주문은 보노보스 온라인숍에서 한다. 제품을 매장에서 판매하지 않기에 소비자로서는 사야 한다는 부담이 전혀 없고, 보노보스 측에선 재고 관리의 필요성이 전혀 없으므로 세일할 필요가 없다. 또한 매장 사이즈가 클 필요가 없고, 판매원이나 캐셔를 고용하지 않아도 된다. 보노보스는 창업 당시부터 핏팅fitting이 좋은 바지를 주요 상품으로 밀었다. 그러나 많은 소비자들이 직접 입어볼 수 없어서 구매에 주저한다는 사실을 파악한 후 사무실의 한 코너에 피팅룸을 만들었다. 그러자 매출이 급상승했고, 이에 확신을 얻은 창업주는 미국의 주요 도시에 가이드숍을 오픈하게 된다. 모든 소매업의 핵심 과제 중 하나가 재고관리inventory management이다. 특히 스타일, 사이즈가 다양하고 계절, 유행에 민감해 판매 시기가 매우 짧은 의류 상품의 경우, 소비자가 원하는 다양한 스타일과 모든 사이즈를 다 갖추는 것은 매우 큰 부담이다. 더구나 판매가 부진할 경우 세일로 재고를 처리해야 하기에 수익성은 악화된다. 의류회사들이 겪는 이러한 고질적 문제를 보노보스는 매우 깔끔하게 해결한 것이다.

보노보스 이외의 D2C 브랜드로는 자사 PB 상품으로 모든 상품을 3달러에 판매하는 온라인 식품점인 브랜드리스Brandless, 애완견 음식을 맞춤제작customize 해서 판매하는 올리Ollie, 맞춤제작 남성복을 판매하는 노트스탠다드Knot standard 등 매우 다양하다. 한국 중소기업이 이러한 새로운 비즈니스 모델에 관심을 가져야 하는 이유는 무엇인가? D2C, 공유경제shared economy 등 다양한 비즈니스 모델이 부상함에 따라 전통적인 오프라인 스토어가 고전을 면치 못하고 있다. 이러한 상황이 주는 시사점은 국내 중소기업이 미국이나 유럽의 전통적인 오프라인 스토어를 통해서 유통하는 구조가 더 이상 안전하지 않다는 의미이다. 아마존은 7개의 PBprivate brand를 통해 의류 시장에 진출하였다. 아마존은 빅데이터를 통해 소비자가 좋아하는 스타일, 선호하는 사이즈 등을 파악하여 신속하게 상품을 공급할 것으로 보인다. 따라서 기존의 방식대로 매장에 상품을 가져다 놓고 팔리기를 기대하는 구조로는 점점 더 수익성이 떨어질 수밖에 없다.

따라서 온라인과 오프라인을 매우 자연스럽게 연결하고 수익성을 극대화하는 가이드숍에 주목할 필요가 있다. 가이드숍 개념은 기존의 쇼룸 개념과 비슷하나 전문 상담원이 1:1로 각자에게 맞는 사이즈와 스타일의 옷을 찾아준다는 점에서 고객서비스를 더한 개념이다. 이는 미국 소매유통이 인건비 삭감의 이유로 판매원을 줄임에 따라 실제 소비자가 원하는 서비스를 제공하지 못한 데서 오는 불편함까지도 해결해주고 있다. 소비자는 매장을 제품 구매의 장소가 아닌 제품 체험의 장소로 인식하기에 매장 방문 자체가 즐거운 여가가 된다. 이를 오프라인 스토어에서 강조하는 경험마케팅experiential retailing의 한 부분으로 이해해도 무방할 것이다. 해외에서 오프라인 위주로 제품을 판매했던 국내 중소기업들은 온라인 유통을 필수적으로 강화시켜야 하며, 오프라인과 온라인에서 연결해 매출을 극대화시키는 전략을 구사하여야 할 것이다. 그런 의미에서

D2C 모델은 젊은 창업자들에게도 많은 시사점을 준다. 의류든 화장품이든 외주를 통한 생산이 활성화되어 있으므로, 결국 상품개발 아이디어가 가장 중요하다.

| 인수를 통해 성장하는 사례 |

어느 정도 자리를 잡은 국내 중소기업의 경우 앞으로의 성장을 위해 취할 수 있는 전략은 브랜드 인수acquisition이다. 기존의 인수는 선진국에서 경쟁 브랜드의 성장을 막고 시장을 선점한다는 의미에서 비슷한 브랜드 간에 주로 이루어졌었다. 최근에는 개발도상국에서 선진국 브랜드 인수가 매우 활발한데, 특히 중국과 카타르가 매우 공격적으로 인수에 나서고 있다. 2000년 이후 패션산업 분야에서 개발도상국이 선진국 브랜드를 인수한 사례를 '표 4'에서 요약하였다. 1970년대 초 직물회사로 시작한 중국의 산둥루이그룹Shandong Ruyi group은 2016년에 프랑스 산드로Sandro, 마쥬Maje, 끌로디피에로Claudie Pierlot 등의 브랜드를 보유한 프랑스 그룹인 SMCP을 인수하였고, 2017년에는 영국 브랜드인 아쿠아스큐텀Acuascutum과 기브스앤호크스Gieves & Hawkes, 켄트앤커웬Kent & Curwen, 세루티 1881Cerruti 1881 등의 브랜드를 보유한 트리트니Trinity, Ltd를 인수한 데 이어, 2018년에는 스위스 명품 브랜드인 발리Bally를 인수하였다. 중국의 포선인터내셔널 Fosun International 또한 2018년 프랑스 하이-엔드 패션 브랜드인 랑방Lanvin을 인수하였다[33].

우리나라에서도 이러한 인수 케이스가 없는 것이 아니다. 2000년대 초반 태진인터내셔널이 프랑스 가죽제품 브랜드 루이까또즈Louis Quatorze를 인수한 것, 2005년 성주인터내셔널이 MCM 독일 본사 지분을 100% 인수한 것, 이탈리아 휠라Fila 본사에 로열티를 지불하던 휠라코리아가 2007년 휠라 본사를 인수하

는 것 등이 그 예이다[34]. 브랜드 인수는 인력, 기술, 경영노하우의 흡수 및 영업
망 확보를 통해 빠른 시일 내에 글로벌 브랜드를 키울 수 있다는 장점이 있다.

▨ 표 4. 개발도상국이 선진국 패션 브랜드를 인수한 사례

Acquired(country)	Acquirer	Country of acquirer	Year of acquisition	Amount ($)
Lanvin(France)	Fosun Group	China	2018	Unavailable
Bally(Switzerland)	Ruyi Group	China	2018	Unavailable
Aquascutum(UK)	Ruyi Group	China	2017	117 million
Maje, Sandro, Claudie Pierlot(France)	Ruyi Group	China	2016	1.5 billion
Balmain(France)	Qatar	Qatar	2016	563 million
Sonia Rykiel(France)	Fung Brands	Hong Kong	2012	Unavailable
Valentino(Italy)	Qatar	Qatar	2012	858 million
Harrods(UK)	Qatar	Qatar	2010	1.5 billion
Escada(Germany)	Mittal	India	2009	Unavailable
Fila(Italy)	Fila Korea	South Korea	2007	450 million
MCM(Germany)	Sungjoo Group	South Korea	2005	Unavailable
Pringle of Scotland(UK)	Fang & Sons	Hong Kong	2000	8.8 million

　　실제 글로벌 명품 브랜드들도 자사 브랜드 이외에 인수를 통해 자신들의 브
랜드 체계를 완성시키기도 한다. 이태리 명품 브랜드인 토즈Tod's가 그러하다.
토즈는 원래 명품 브랜드인 프라다에 OEM으로 가죽제품을 납품하던 조그만
생산공장이었다. 이후 자신의 브랜드인 토즈를 만들어 성공시키고 더 낮은 가

격대의 페이Fay, 호건Hogan 등의 브랜드를 런칭한 이후, 프랑스 고가 브랜드인 로저 비비에Roger Vivier를 인수하여 브랜드 포트폴리오를 완성시켰다. 즉 OEM에서 시작하여 OBM으로 자신의 브랜드를 만들어 글로벌 브랜드로 성장시킨 이후에 더 고가 브랜드를 인수하여, 여러 가격대를 아우르는 브랜드를 망라하게 된 것이다[35]. 이처럼 한국 중소기업도 현재 자사 브랜드 수출에서 더 나아가 브랜드를 더 성장시키고, 필요할 때는 브랜드 인수를 통해 확고한 업체로 입지를 굳힐 필요가 있다. 물론 기존 자사 브랜드와 시너지 효과를 낼 수 있는 브랜드를 인수해야 하며, 인수 이후 관리가 매우 중요하다.

앞으로 방향에 대한 제언

여기서는 한국 중소기업의 현재와 앞으로 나아가야 할 방향을 분석하여 한국 중소기업에 통찰력을 제시하고자 하였다. 먼저 글로벌 시장으로 진출하지 못한 중소기업을 위해 자사 브랜드를 글로벌 브랜드로 성장시킨 사례와 그 성공요인을 살펴보았고, 그다음으로는 글로벌 시장 진출에 이미 성공한 중소기업들이 앞으로의 더 큰 진전과 글로벌 리더십을 갖기 위해 필요한 방법들로 역직구, D2C 같은 새로운 비즈니스 모델, 글로벌 인수 사례 등을 소개하였다.

우선 지금까지 열정과 끊임없는 혁신으로 소자본의 한계를 넘어 세계시장의 선두에 선 한국 중소기업에 무한한 경외와 찬사를 보낸다. 그러나 혁신하지 않는 기업은 도태되는 법이기에 현재의 방식으로 계속해서 성공할 수 있을 것인가 하는 강한 물음을 던져야 한다. 글로벌 유통 시장이 매우 빠르게 변하고 있는 만큼 이를 재빨리 파악하고, 합당한 대응 전략을 세워야 한다.

첫째 자사 브랜드로 성공한 기업들은 대부분 백화점, 홈쇼핑, 월마트 같은 대형 판매점 등의 오프라인 판매망 위주로 해외 유통을 전개해 나갔다. 그러나 세계시장은 오프라인에서 온라인으로 매우 빠르게 이동하고 있고, 모바일을 이용한 모바일 상거래m-commerce도 급성장하고 있다. 온라인 유통은 선택이 아니고 필수이다. 온라인 판매를 꺼려오던 럭셔리 부문에서도 온라인 판매가 늘고 있고, 럭셔리 전문 온라인 쇼핑몰인 네타포르테net-a-porter, 루이자비아로마Luisaviaroma, 육스Yoox, 파페치Farfetch 등이 급성장하고 있다. 아이러니하게도 모바일 쇼핑은 중국을 포함한 이머징 국가에서 온라인 쇼핑이 곧 모바일 쇼핑을 의미할 정도로 빠르게 보편화되고 있다[36]. 개발도상국이라 하여 온라인 환경이 열악할 것이라고 간주하면 큰 오산이다. 신용카드가 활성화되지 않아서 온라인 판매가 어렵다고 간주하면 더더욱 안 된다. 각국에 신용카드를 대신해 통용되는 결제시스템이 있는데, 중국의 알리페이Alipay, 위챗페이WeChat Pay가 대표적이다. 우리나라 카카오톡과 비슷한 중국의 위챗WeChat은 모바일 메신저 기능뿐만 아니라 상거래 및 결제 기능까지 있다. 현재 루이비통Louis Vuitton, 프라다Prada 등약 92%의 럭셔리 브랜드의 제품들이 위챗에 공식적으로 판매되고 있다[37]. 또한 중국에서는 재래시장에서도 위챗페이로 결제할 수 있을 정도로 모바일 결제시스템이 보편화가 되어 있다. 인도는 중국보다 더 다양한 모바일 결제시스템이 있다. 페이티엠PayTM, 옥시젠Oxigen, 모비퀵MobiKwik, 페이유머니PayUmoney 등이그 예이다[38]. 케냐에서는 송금 및 결제 서비스를 제공하는 엠페사M-Pesa라는 모바일 금융서비스 있다. 이러한 환경 변화에 발맞춰 한국 중소기업들은 온라인 및 모바일 시장을 매우 중요한 유통망으로 인식해야 하고 이를 이용한 판매에 적극적으로 나서야 한다. 국내 쇼핑몰을 통한 역직구이든 해외 대형 쇼핑몰에 입점하든 해외에 온라인 단독 쇼핑몰을 열든 자사에 맞는 온라인 및 모바일 채널을 확보해야 한다.

둘째, 온라인은 점점 오프라인과 융합되는 중이다. 온라인으로 시작한 대부분의 D2C 브랜드들은 오프라인으로도 사업을 전개하고 있고, 오프라인으로 시작한 전통적인 리테일러와 브랜드들은 온라인 사업을 병행하고 있다. 관건은 어떻게 온라인과 오프라인 채널이 서로 시너지를 만들어내는가 하는 것이고, 오프라인 상점이 어떻게 온라인 구매를 유도하는가이다. 앞서 소개한 보노보스의 가이드숍은 그런 면에서 매우 획기적이다. 자본이 부족한 한국 중소기업이 재고 및 매장관리의 어려움을 피하는 방법이 될 수도 있기 때문이다. 한국기업도 체험 고객을 통해 입소문을 내거나 브랜드 충성으로까지 연결시킬 수 있을 것이다.

셋째, 앞서 소개한 새로운 D2C 모델 이외에 세계경제 흐름인 공유경제에도 관심을 기울여야 한다. 에어비앤비Airbnb와 우버Uber로 시작된 공유경제는 다양한 분야로 빠르게 확산되고 있다. 이들은 빅데이터와 소셜미디어를 적극 활용하여 고객들을 구독 모델subscription model로 변환시키고 있다. 구독 모델 서비스는 고객이 한 달에 일정 금액을 내면, 고객의 취향을 빅데이터로 분석하여 고객이 선호하는 상품을 배달해주는 서비스이다. 이와 같은 서비스를 제공하는 업체로는 의류, 신발, 액세서리를 취급하는 원터블Wantable과 스티치픽스Stich Fix, 팔찌에는 푸라비다먼슬리클럽Pura Vida Monthly Club, 레깅스는 엔조이레킹Enjoy Legging, 속옷을 취급하는 어도어미Adore Me, 유아복과 아동복을 파는 맥앤미아Mac&Mia 등이 있다[39]. 의류업체인 앤테일러Ann Taylor 역시 신상품을 빌려주는 서비스를 시작했다. 한국 중소기업들은 이러한 공유경제가 자사가 속한 부문에 어떠한 영향을 미칠지 예민하게 주시하고 있어야 한다. 공유경제가 확산되다 보면, 기존에 열심히 확보해놓았던 오프라인이나 온라인 판매가 줄어들지도 모른다. 한편 공유경제는 스타트업 기업에게는 새로운 아이디어를 제공해줄 수도 있을 것이다. IT 강국인 한국은 새로운 공유경제 플랫폼을 개발하여 글로벌 시장에서 이 부분을 선점하도록 노력해야 한다.

넷째, 포스트 한류를 대비해야 한다. 현재 한류의 붐으로 중국, 동남아 등지에는 의류 및 화장품 판매가 큰 활기를 띠고 있다. 그러나 중국이 경제적으로 더 성장하면 한류 영향이 상대적으로 희석될 것이다. 우리나라에도 1980년대 대학가에 일본 음악, 일본 잡지 등이 유행했고 일본어 강좌도 많았다. 그러나 1990년대부터 일본 열풍이 점차 사라졌다. 현재 중국에서는 한국 음악, 한국 잡지, 한국어 강좌 등이 인기가 많다. 그러나 이 인기는 영원하지 않을 것이다. 따라서 한류의 혜택을 받는 지금 더 부지런히 움직여야 한다. 그리고 포스트 한류에 대비해 자사 브랜드 파워를 키워야 할 것이다. 명품은 하루아침에 태어나지 않는다. 대부분의 유럽 명품 브랜드가 패밀리 비지니스의 조그만 회사로 출발해 100년의 세월 동안 브랜드 파워를 키웠음을 기억하라. 비교적 최근인 1978년에 시작한 베르사체Versace도 글로벌 브랜드라고 인정받기까지 약 40년이란 시간이 걸렸다. 글로벌 소비자들에게 브랜드가 노출되고 그들 마음에 안착되어, 소비자와 브랜드 간의 관계를 형성하는 데는 시간이 필요하다. 그러는 동안에 디자인, 기술 부분도 한 번의 성공이 아니라 꾸준히 혁신할 수 있도록 지속적으로 투자해야 한다[40][41].

대한민국의 위상은 우리가 국내에서 생각하는 것보다 훨씬 높다. 해외시장에서 한국은 개발도상국의 이미지가 아니며, 한국산Made in Korea은 더 이상 값싼 제품으로 인식되지도 않는다. 이미 IT나 가전 부문에서는 한국산을 선진국 제품으로 인정하고 있고, 중소기업 제품도 곧 그렇게 인식될 날이 머지않았다. 그렇다면 거기에 맞는 제품, 서비스 그리고 품격을 갖춰 글로벌 시장을 리드해야 하지 않겠는가? 리더는 항상 위기의식을 가지고 현재 상황을 냉철하게 파악하고 미리 대비한다. 우리나라 중소기업이 그러한 리더십을 향해 멋지게 도전하기를 기대한다. 이것이 대한민국 중소기업의 나아가야 할 방향, 즉 글로벌 리더십이다.

정재은(성균관대학교 교수)

정민지 · 이유림(성균대학교 소비자가족학과 박사과정)

중소기업의 브랜딩 전략이 기업의 성과와 가치에

미치는 영향과 전략 방안을 살펴보고,

브랜딩 전략의 현주소를 파악하여 전략 방안에 대한

시사점을 도출하고자 한다.

2.2
해외시장에서 한국 중소기업의
브랜드 구축 전략

　강력한 브랜드는 구매자의 높은 브랜드 인지 및 품질 인식과 브랜드에 대한 호의적인 이미지를 유발하여 궁극적으로 소비자의 충성도를 제고한다[1]. 이는 브랜드 자산의 원천으로, 동일한 목표시장을 타깃으로 하는 경쟁 브랜드에 비해 더 높은 가격과 마진을 가능하게 하여 기업의 수익성을 보장한다[2]. 따라서 세계화가 가속화됨에 따라 날로 경쟁이 치열해지는 국내외 시장에서 강력한 브랜드를 구축하는 것은 경쟁 기업과의 차별화를 통해 지속 가능한 경쟁우위를 창출하고 나아가 글로벌 경쟁력을 제고하는 중요한 수단이 된다[3].

　과거 협소한 국내시장의 한계를 딛고자 해외로 진출해 기업의 지속적인 성장을 추구했던 한국 중소기업은 낮은 생산원가와 '가격 대비 고품질'을 생산할 수 있는 자사 기술력을 경쟁력으로 내세워 OEM_{Original Equipment Manufacturing, 주문자 생산방식}1, ODM_{Original Development Manufacturing, 제조업자 개발생산}2을 통해 해외시장을

1　OEM은 해외 구매자가 제공한 설계도에 따라 제품을 생산하여 구매자의 브랜드를 부착하고 수출하는 방식으로, 수출품을 생산하는 기업이 제품 개발 능력 또는 해외 마케팅 능력이 없을 때 해외시장에 진입하는 방식을 지칭한다[4].

2　ODM은 제품개발력을 갖춘 제조업체가 판매량을 갖춘 유통업체에 상품을 제공하는 생산방식으로, 자체적 연구개발을 통해 해외의 구매자가 요구하는 제품을 개발 및 생산하여 유통업체의 브랜드를 부착하고 수출하는 것을 말한다[4].

개척했다. 한국 중소기업은 이러한 수출방식을 통해 특별한 기술력이 없거나 (OEM의 경우) 해외 마케팅 역량이 부족해도(ODM의 경우) 자사제품에 국내외 대형 유통업체나 제조업체의 브랜드를 부착하고 이들 기업에 제품을 납품하는 형식으로 해외에 진출할 수 있었다. 그러나 최근 들어 국내의 생산비 상승으로 인해 가격 경쟁력이 약화되고, 중국과 베트남을 비롯한 개발도상국 기업과의 기술 격차가 좁혀짐에 따라 한국 중소기업들의 수출경쟁력이 크게 위협받고 있다[3]. 이에 한국 중소기업은 그 어느 때보다도 OEM과 ODM을 탈피하고 해외시장에서 자사 브랜드를 구축하여 경쟁력을 갖추어야 할 중요한 시점에 이르렀다.

그러나 자사 브랜드 개발이 중요함에도 불구하고, 대부분의 한국 중소기업은 성공적인 브랜드 개발을 위해 요구되는 막대한 자원과 전문인력 부족 등의 한계로 인해 OEM 또는 ODM에 의존한 수출에서 벗어나지 못하고 있다. 중소기업중앙회에서 발간한 「2016 중소기업위상지표」에 따르면 2014년 중소제조업의 자사 브랜드 수출 비중은 16.3%에 불과하다. 1997년도의 자사 브랜드 수출 중소기업 비중이 6.4%인 것을 고려한다면, 지난 20여 간간 두 배 이상 증가했음을 보여준다. 하지만 자사 브랜드를 수출하는 중소기업 수는 여전히 전체 수출 중소기업 수의 20%에도 미치지 못하고 있다. 또한 산업재 중소기업들은 브랜드 인지도보다 기술력과 가격 경쟁력에 우선순위를 두고 있어, 브랜딩 활동이 비용 대비 비효율적이라는 인식을 가지고 있다[5]. 그러나 산업재 기업도 소비재 기업과 마찬가지로 높은 브랜드 인지도와 선호도 구축이 기업에 대한 신뢰도 확보의 근원이 되며 제품 차별화를 유도함으로써 고성장을 이루는 수단이 될 수 있다[5].

브랜드 구축의 핵심은 브랜드 정체성 구축과 이를 위한 효과적인 마케팅 커뮤니케이션 실행에 있으며[6][7][8], 해외 브랜드 전략 유형(글로벌 브랜드 전략 vs. 현지 브랜드 전략)에 대한 선택은 기업이 해외 여러 국가로 진출할 때 반드시 고려해야 할 사안이다[3]. 대기업의 경우 이러한 브랜드 구축과 관리에 대한 중요성을 인식하고 오래전부터 체계적인 브랜드 전략을 발전시켜왔으나 중소기업에 이러한 전략을 일관적으로 적용하기는 어렵다. 이는 중소기업의 제한된 자원과 경영자 중심의 의사결정 등 중소기업에만 나타나는 경영 환경과 특징이 있기 때문이다. 따라서 중소기업의 브랜드 구축은 대기업과 다른 방법으로 접근할 필요가 있다[8]. 이에 여기서는 브랜드 구축 관련 이론을 고찰하고, 중소기업의 해외시장 내 브랜드 정체성 구축 및 마케팅 커뮤니케이션 전략과 해외시장 내 브랜드 전략 유형에 대한 기존 연구와 이에 대한 한국 중소기업의 사례를 살펴봄으로써 한국 중소기업의 해외시장 내 브랜드 개발 전략에 대한 방향성을 제시하고자 한다.

해외시장에서의 브랜드 구축

| 브랜드 정체성 |

브랜드 전략의 출발점은 기업의 특성을 대변하는 브랜드 정체성 구축에 있다[8]. 이에 브랜드 정체성에 대한 이해를 돕기 위해 먼저 이와 관련된 개념인 브랜드, 브랜드 인지도, 브랜드 이미지를 살펴보고자 한다. 브랜드는 기업의 제품을 타사의 제품과 구별하는 이름, 상징물, 디자인 등을 의미한다[9]. 브랜드 인지도는 브랜드를 식별할 수 있는 소비자의 능력으로 정의되며[10], 그 수준에 있어서 두 가지의 경우가 있다. 보조인지 또는 재인brand recognition은 특정 브랜드의 이름이나 상징이 제시되었을 때 소비자가 브랜드를 자신의 기억 속에서 인식 또는 상기하는 것을 의미하며, 비보조인지 또는 회상brand recall은 그 브랜드가 속한 제품 범주를 제시했을 때 특정 브랜드를 상기하는 것을 일컫는다[11]. 브랜드 이미지는 소비자의 기억 속에 있는 브랜드와 관련된 다양한 연상을 의미하며[11], 브랜드 인지도는 브랜드 이미지 안에 자리 잡고 있는 브랜드 연상의 형태와 강도에 영향을 미친다[10]. 타사와 차별화되는 브랜드 이미지는 소비자의 구매 행동으로 이어지기 때문에 브랜드가 갖는 호의적이며favorable, 강력하고strong, 독특한unique 연상 이미지는 수많은 브랜드가 존재하는 오늘날의 시장에서 브랜드 자산을 제고하는 근원이 된다[8].

브랜드 정체성은 해당 기업이 구축하고 유지하고자 하는 브랜드 이미지를 의미하는 것으로 독특한 연상들을 바탕으로 개발된다[1]. 이러한 브랜드 연상 (브랜드 정체성)은 브랜드 이름, 로고, 광고, 제품 자체의 특성, 기업 이미지 등에 영향을 받아 형성되며, 소비자의 선택, 기호, 구매의도 그리고 브랜드 확장의 도에 영향을 미치는 중요한 요소이다[1][8]. 브랜드 연상은 여러 방법으로 분류될 수 있는데, 여기서는 소비와 관련된 문제를 해결하는 기능적 연상과 소비자의 정서적 욕구를 충족시키는 상징적 연상으로 분류하고자 한다. 기능적 연상은 기업이 제공하는 경쟁사와 차별화된 기능적 가치를 반영하는 것으로, 기업은 소비자들이 브랜드를 인식할 때 강화된 주요 기능이나 새로운 기능을 연상하도록 하여 이들이 그 브랜드의 제품을 혁신적이거나 진화된 제품으로 인식하도록 하는 것이 중요하다[12]. 한편 상징적 연상은 기업이 소비자에게 새롭게 제공하는 정서적 가치를 반영하는 것으로, 이들이 브랜드를 인식할 때 자아표현, 자기고양, 소속감 등의 새로운 정서적 가치를 연상하도록 하여 그 브랜드 제품을 새로운 카테고리의 제품으로 인식하도록 하는 것이 중요하다[12]. 흥미롭게도 기존 연구들은 기업이 두 가지 유형 가운데 상징적 가치를 추구할 때 더욱 효과적이고 지속적으로 경쟁사와의 차별화를 이룰 수 있다고 밝히고 있다[8][13]. 이는 상징적 가치가 소비자의 감정적인 경험을 불러일으켜 기능적 가치보다 소비자 기억 속에 오래 남기 때문이다[8].

| 마케팅 커뮤니케이션 |

브랜드 정체성은 기업의 전반적인 마케팅 프로그램, 즉 제품, 가격, 광고, 촉진 그리고 유통의 의사결정 등에 일관성 있게 반영되어야 하며, 이를 중심으로 마케팅 프로그램이 잘 통합되었을 때 브랜드 정체성은 강력한 브랜드 자산으로 이어진다[10]. 특히 브랜드 정체성을 알리기 위해 실행되는 대외적 또는 대내적 마케팅 커뮤니케이션은 브랜드 구축의 핵심적인 요소이다[6][7]. 대외적 마케팅 커뮤니케이션의 목적은 광고, 인적 판매, 판매촉진 또는 PR Public Relation 등을 통해 구매자들에게 자사 브랜드 및 제품을 알려 브랜드 인지도를 제고하고 긍정적인 브랜드 이미지를 구축하는 것이다. 따라서 효과적인 대외적 마케팅 커뮤니케이션은 기업이 구매자들로 하여금 자사제품에 대한 긍정적 태도와 선호도를 형성하여 궁극적으로 이를 구매하도록 설득하는 중요한 수단이 된다.

이러한 대외적 커뮤니케이션 전략을 효과적으로 실행하기 위해서는 대내적 마케팅 커뮤니케이션이 원활하게 이루어져야 한다[7][8]. 즉 기업 대표나 영업부, 마케팅 부서를 비롯한 모든 기업 구성원들이 대내적 커뮤니케이션을 통해서 브랜드 가치 및 브랜드 정체성에 대한 이해를 확고히 하여 내부적으로 먼저 브랜드에 대한 정체성을 확립할 때, 효과적인 대외 커뮤니케이션 활동을 할 수 있다[5].

| 해외시장에서의 브랜드 전략 유형 |

글로벌 브랜드 vs. 현지 브랜드

해외시장에서 브랜드를 구축할 때 기업은 글로벌 브랜드와 현지 브랜드 개발이라는 두 가지 옵션을 갖는다. 글로벌 브랜드 전략은 모든 해외시장에 표준화된 브랜드 전략을 사용하는 것으로, 기업이 단일 브랜드를 가지고 모든 시장에서 매우 유사한 브랜드 정체성과 포지션을 통해 표준화된 마케팅 전략을 실행하는 것을 의미한다. 표준화란 현지화와 상반되는 개념으로 이 두 개념은 연속성을 갖는 하나의 스펙트럼의 양극단에 해당하는 개념으로 이해할 수 있다[14].

글로벌 브랜드는 시장의 글로벌화가 급속히 일어나 국가 간 정보와 소비자의 이동이 활발해짐에 따라 이들 간에 유사한 그룹의 소비자층이 형성되면서 등장하였다[15]. 기업은 시장의 특성과 상관없이 표준화된 전략을 실행함으로써 R&D와 생산, 마케팅 측면에 있어 대량생산 및 대량소비에 따른 규모의 경제 또는 범위의 경제를 실현하여 높은 수익을 창출할 수 있었다[3][16]. 그러나 글로벌 브랜드 전략은 시장 변화에 즉각적으로 반응하기 어려우며, 브랜드 파워가 강하지 않을 경우 현지 브랜드를 개발하는 것보다 더 큰 비용을 초래할 위험이 있다[3]. 실제로 글로벌 브랜드 전략은 주로 선도적인 혁신 제품이나 글로벌 소비자들이 공감하는 고유의 가치를 전달하는 제품을 개발·공급함으로써 경쟁 우위를 확보한 기업들이 채택한다. 이러한 기업들은 전 세계의 소비자들을 대상으로 높은 브랜드 인지도와 제품 품질에 대한 신뢰성을 앞세워 자국보다 해외시장에서 더 많은 매출을 올리고 있다[17].

반면, 현지 브랜드 전략은 기업이 국가 간 경제발전 수준 및 시장 환경의 차이에 주목하여 국가별로 상이한 현지 소비자들의 니즈와 시장 환경에 적합하게 기존 브랜드 전략을 수정하거나 새롭게 개발하는 전략을 의미한다[3][18]. 현지 브랜드 전략을 사용하는 기업은 현지 소비자의 니즈 및 기호에 맞춘 제품을 개발·공급하며 그에 맞는 마케팅 전략을 실행한다. 이를 통해 다양한 현지 시장의 니즈를 충족시키고 위험을 줄여 보다 효과적으로 해외시장에 진입할 수 있다[3][18]. 특히 현지 브랜드 전략은 단일 브랜드를 개발하는 글로벌 브랜드 전략에 비해 지역별 특수성을 고려한 다양한 브랜드들의 포트폴리오를 개발함으로써 위험을 분산시킬 수 있고, 다른 브랜드로부터의 학습효과를 기대할 수 있다[3][18]. 그러나 이러한 전략을 사용하는 기업은 판매 범위가 다소 협소하여 세계적으로 브랜드 파워를 구축하지 못한 채 브랜드를 특정 대륙 혹은 수 개 내지 수십 개 국가들에 한정적으로 사용하고 있다[17].

중소기업의 해외시장에서의 브랜드 개발 전략 및 사례

| 브랜드 정체성 개발 전략 |

기업가 역할의 중요성

대기업은 막대한 비용을 들여 실시한 시장조사를 통해 확인된 잠재된 소비자 니즈와 충족되지 않은 니즈를 채우기 위해 브랜드를 구축하거나 보통 수준의 제품에 이상적으로 포지셔닝하기 위해 매스미디어 활용과 적극적인 홍보활동을 통해 인위적으로 브랜드 이미지를 구축한다. 반면 중소기업 브랜드는 기업가의 비전, 신념, 가치에 기반을 둔다[20]. 수출 중소기업의 성공적인 브랜드 관리에 관한 선행연구들은 기업가들이 자신의 가족과 직원들에게 브랜드에 대한 열정을 불어넣고, 기업의 지속성과 브랜드 평판을 보장하는 그들만의 가치를 유지해왔다고 보고 있다[7][8][20]. 즉 중소기업의 경우 기업가가 가진 비전, 신념 및 가치는 브랜드 정체성을 개발하는 데 활용되는 브랜드 연상의 주요 원천이 된다. 따라서 중소기업의 기업가는 브랜드 정체성의 주된 전달자로서 그들의 이미지를 대기업 CEO의 이미지와 동일한 수준으로 고양해야 하며[8], 브랜드는 기업가의 화신으로서 기업가의 특성과 브랜드 간의 뚜렷한 연관성이 있어야 한다.

실례로 피부과 전문의들이 제품 개발에 참여하여 기능성 화장품에 의약품의 전문적 치료기능을 합친 코스메슈티컬cosmeceutical 제품을 제조하는 해브앤비㈜의 이진욱 대표는 '세상을 알고 싶다'는 생각에서 글로벌 비즈니스를 해보려고 기업을 설립하였다[21]. 이 대표는 '건강한 아름다움'이라는 브랜드 가치를 고객에게 전달하고자 했으며, 이는 해브앤비㈜의 대표 브랜드인 '닥터자르트Dr. Jart''의 출시를 통해 구체화되었다. '닥터자르트'는 '닥터조인아트Doctor Join Art'를 의미하며, 제품에 대한 조언을 받는 피부과 전문의를 뜻하는 '닥터'와 예술을 뜻하는 '아트'가 결합한 것임을 보여준다. 이러한 브랜드 네이밍은 '건강한 아름다움'이라는 기업가의 신념, 그리고 이성과 감성을 결합하여 독창적인 제품을 선보이고자 하는 의지를 동시에 드러내며 브랜드 정체성을 구축하는 데 일조한다. 또 다른 예로 의료용 레이저기기 제조업체인 ㈜루트로닉의 황해령 대표는 '혁신적인 제품으로 소비자에게 신뢰를 주는 세계적인 레이저기기 전문기업'으로 도약하자는 본인의 비전을 전달하기 위해 브랜드 이름을 빛을 상징하는 'Lux'와 전자를 의미하는 'Electronic'의 합성어인 '루트로닉Lutronic'이라 정했다.

한편 해외시장에서 확고한 브랜드 정체성을 구축하고자 하는 브랜드 지향성은 중소기업이 수출 시장에서 경쟁우위와 재무성과를 제고하는 시발점이 된다. 브랜드 지향성이 높은 기업일수록 기술 역량이 높고, 기술 역량이 높을수록 마케팅 역량이 높으며, 기술 역량과 마케팅 역량이 높을수록 수출 시장에서의 경쟁우위와 재무성과가 제고된다[22]. 다시 말해, 중소기업 기업가가 해외시장에서 브랜드를 구축하고자 하는 강한 의지로 본인의 비전, 신념, 경영철학을 브랜드의 핵심적인 가치로 승화시키고, 이를 위해 고품질의 제품을 개발하고자 기술 역량 제고에 힘쓰면 그 결과로 차별화된 제품을 생산하게 된다. 기업은 차별화된 제품을 통해 효과적인 촉진활동을 할 수 있게 되고, 궁극적으로 기업은 수출 시장에서 경쟁우위를 가지며 재무성과를 높일 수 있다.

기능적 · 상징적 연상의 활용

중소기업은 강력하고 긍정적인 브랜드 정체성을 개발하는 데 기능적 · 상징적 연상을 모두 사용할 수 있다[8][13]. 먼저 기능적 연상을 바탕으로 브랜드 정체성을 개발한 국내 중소기업의 사례를 살펴보면 '혁신성'이 주요 기능적 연상으로 활용된 것을 알 수 있다. 성공적으로 해외에 진출한 국내 13개의 자사 브랜드 수출 중소기업의 사례에서 글로벌 경쟁력을 가진 중소기업 제품들은 공통적으로 품질의 우수성을 넘어선 혁신적인 제품들이었다[21]. 즉 창업주들이 각자의 영역에서 기존 제품이 갖는 한계점, 문제점들을 해결하고자 과감한 R&D 투자를 하고 이를 통해 그 영역에서 '혁신'을 이루어낸 제품들인 것이다. 따라서 기업의 이러한 혁신성은 브랜드 정체성을 구축하는 데 있어 중요한 기능적 연상으로 활용되고 있다. 예를 들어, 아웃도어 신발류 부문에 있어 아시아 시장 점유율 1위, 세계 14위를 기록한 ㈜트렉스타는 창업주 권동칠 대표의 "왜 등산화는 무거워야 하는가?"라는 질문에서 시작하여 초경량 운동화를 개발하게 되었고, 세계 최초로 발 모양을 그대로 본뜬 신발 '네스트핏'(사진 1)과 세계 최초로 자동차 현가장치의 기능을 신발에 접목하여 신발창에 여러 개의 쿠션 센서들을 부착하는 'IST Independent Suspension Technology'(사진 2) 등 혁신적인 기술을 활용한 여러 신제품들을 선보였다. ㈜트렉스타는 브랜드명에 "인류의 즐거운 트레킹(아웃도어) 활동에 길을 밝혀주는 별(Star)이 되고자 한다"라는 의미를 담고 있으며, 자사 제품의 혁신적인 기술력을 기반으로 최상의 품질과 디자인을 상징하는 이미지를 구축하고자 힘쓰고 있다(사진 3).

더불어 '품질의 우수성 또는 안전성'도 국내 수출 중소기업이 활용하는 주요 기능적 연상이며, 소신 있는 가격정책과 파격적인 품질보증을 통해 우수한 품질의 브랜드라는 정체성을 구축하고자 했던 사례들도 찾아볼 수 있다. 컬러렌즈, 서클렌즈 등 미용렌즈와 RGP고도근시용 하드렌즈를 비롯한 다양한 콘택트렌즈 제품을 생산하는 ㈜드림콘은 항균성이 뛰어난 백금 나노 입자를 이용한 나노

▧ 사진 1. ㈜트렉스타 핵심 기술인 네스트핏이 적용된 제품

(주)트렉스타 미국 공식홈페이지

▧ 사진 2. ㈜트렉스타의 핵심 기술인 'IST'가 적용된 제품

(주)트렉스타 미국 공식홈페이지

▧ 사진 3. ㈜트렉스타 브랜드 로고의 변천사

(주)트렉스타 한국 공식홈페이지

콘택트렌즈의 원천기술과 색소가 눈에 닿지 않는 플루시어 공법 등 다수의 특허와 해외 인증을 보유할 정도로 우수한 신제품 개발역량을 가지고 있다. ㈜드림콘은 렌즈가 사람의 눈에 직접 맞닿는 것인 만큼 무조건 저렴한 가격보다는 제품의 안전성이 브랜드에 대한 신뢰도를 높인다고 판단하였다. 이에 ㈜드림콘은 바이어들의 가격 인하 요구에도 불구하고 일관적으로 경쟁사보다 높은 가격 정책을 펼쳐 자사제품의 우수한 품질을 어필함과 동시에 바이어들이 "드림콘 가격은 원래 그래"라는 인식을 심어주며 ㈜드림콘만의 브랜드 정체성을 차별화하였다[21]. 이러한 우수한 품질과 소신 있는 가격정책을 기반으로 한 차별화 전략은 R&D 및 마케팅 투자비용을 확보해 새로운 기술개발을 통한 제품혁신을 계속해서 이룰 수 있었으며, 마케팅 활동에도 적극적으로 비용을 투자해 매출이 증가하는 선순환 구조를 이루었다. 또 다른 예로 카메라, 핸드폰 등의 방수케이스를 생산하는 ㈜디카팩은 제품의 우수성 및 안전성을 보장하기 위해 신중한 품질관리는 물론 불량제품 및 이로 인한 카메라 손상까지 100% 보상해주는 품질보증제를 실시하고 있다. 이러한 철저한 품질관리와 파격적인 품질보증제를 통해 ㈜드림콘은 가장 안전한 방수케이스라는 이미지를 구축하여 전 세계 60개국의 포토그래퍼가 선택하는 방수팩 브랜드로 자리 잡았다[21].

이성적 판단을 유발하는 기능적 연상과 달리 정서적·감정적 경험을 유발하는 상징적 연상은 장기적인 관점에서 부가가치를 창출하여 브랜드 가치를 향상시킨다[8]. 진실성, 흥미로움, 유능함, 세련됨, 강인함과 같은 브랜드 개성[23] 또는 라이프스타일과 같은 다양한 상징적 연상들이 자아표현, 자기고양 등과 같은 상징적 가치를 창출하며, 이러한 상징적 연상은 제품의 특성상 소비재 제품에 두드러지게 사용된다. 예를 들어, 해브앤비㈜는 닥터자르트의 마스크팩을 사용하는 발레리나의 모습을 보여주는 유튜브 영상을 제작하여 소비자에게 자사제품의 고급스러움을 전달하는 메시지와 함께 "소비자도 이 제품을 통해 아름다워질 수 있다"는 자기고양적 가치를 창출하려고 시도했다(사진 4). 또한

■ 사진 4. 닥터자르트의 유튜브 영상

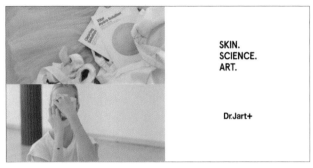

SKIN.
SCIENCE.
ART.

Dr.Jart+

닥터자르트 미국 공식홈페이지

'science'와 'art' 단어를 병행하여 표시함으로써 의·과학에 기반을 둔 '건강한 아름다움', 그리고 이성과 감성이 결합된 독창성을 표현하려고 하였다.

원산지 효과의 활용

원산지 효과ountry-of-origin effect의 활용은 중소기업이 저비용으로 상징적 가치를 창출할 수 있는 중요한 방편이다[8][24]. 이는 해외시장의 소비자가 제품이 생산된 국가에 대해 긍정적인 이미지를 가지면, 이러한 국가 이미지가 긍정적인 브랜드 연상을 유도하여 상징적 가치를 유발하기 때문이다[1][10]. 최근 삼성, LG, 현대 등 대기업 제품들이 세계시장에서 품질의 우수성을 인정받아 글로벌 기업으로 부상하면서 한국제품에 대한 인식도 많이 달라졌다[21]. 특히 한류 열풍이 중국 및 동남아, 중동 등지에서 일어나면서 현지 소비자에게 한국 문화가 전달되고 한국제품의 위상 역시 높아졌는데, 이는 한류가 국가 이미지뿐만 아니라 한국에서 생산된 제품의 이미지를 향상시키는 역할을 했기 때문이다[25]. 따라서 자본이 부족한 한국 소비재 중소기업은 한류 붐이 일고 있는 지역에서 한류 및 원산지 효과를 적극적으로 활용하여 효율적으로 브랜드의 상징적 가치를 제고

할 수 있었다. 예를 들어, ㈜드림콘은 태국, 말레이시아 등 동남아시아 시장에서 혁신 기술을 기반으로 생산된 자사제품을 홍보하기 위해 동남아시아에 일고 있는 한류의 영향을 고려해 2014년에 걸그룹 '걸스데이'를 2년간 전속모델로 계약, 해당 그룹의 이름을 딴 렌즈 모델을 출시하고 K-pop 아이돌이 주는 상징적 가치를 추구하는 마케팅에 본격적으로 나섰다. 이로 인해 ㈜드림콘은 매출 증가율이 2014년에 9.6%, 2015년에 8.7%, 그리고 2016년에는 25.1%로 증가하여, 한류로 인한 매출 증대 효과를 톡톡히 보았다[21].

　그러나 한류 및 원산지 효과를 활용한 브랜드 정체성 개발은 자국에 대한 긍정적인 국가 이미지가 형성된 나라로 제한되어야 하며, 한국보다 경제적으로 우위에 있는 선진국이나 정치적인 갈등으로 인해 한국에 대해 적대적인 태도를 보이는 지역에서는 원산지 효과의 활용에 주의해야 한다. 실제로 선진국에 진출하는 한국 중소기업들은 브랜드 정체성에서 한국 이미지를 배제하려는 전략을 사용하고 있다[21]. 예를 들어 해브앤비㈜는 창업 초기부터 글로벌 진출을 지향하며 다른 경쟁 기업들이 중국 시장으로 진출할 때, 뷰티 산업의 심장부인 미국, 유럽 시장을 겨냥하여 브랜드를 개발하였다. 이에 자사 브랜드 홍보에 있어서 의도적으로 한국 브랜드라는 느낌이 나지 않도록 국내 연예인을 홍보에 이용하지 않았다. 대신 밝은 색상과 디자인을 활용한 제품의 용기와 패키지, 독특한 홍보영상 제작, 뉴욕 패션위크 공식 후원 등을 통해 차별화된 이미지 개발을 도모하였고, 이러한 전략은 유명 글로벌 화장품 유통업체인 세포라sephora에 진출하게 된 발판이 되었다[21].

　또 다른 흥미로운 예로, 만 10년 만에 샴푸형 염색제, 리체나를 국내외 시장에서 2,500만 개 판매하는 실적을 올린 리우앤컴㈜[3]은 리체나를 CJ와 GS 홈쇼

3　리우앤컴㈜은 홈쇼핑 에이전시이자 전문 무역상사로 ㈜세화P&C가 생산한 염모제인 '리체나'를 홈쇼핑에 납품하며, 이 브랜드의 마케팅 및 유통을 담당하는 회사이다.

핑의 해외 플랫폼들을 통해 중국, 베트남, 말레이시아 등 7개국에 수출하고 있다. 리우앤컴㈜은 중국 시장에 진출할 때 현지 홈쇼핑 MD로부터 중국 소비자들은 한국제품에 대한 신뢰도와 선호도가 매우 높기 때문에 제품포장에 꼭 필요한 내용 외에는 모두 한글로 표기하고 인서트 영상도 한국에서 제작한 것을 사용해달라는 요청을 받고 한국제품이라는 이미지가 물씬 풍기는 제품을 출시했었다. 그러나 사드THADD를 둘러싸고 발생한 한·중 간 정치적 갈등으로 인해 중국 내 한국제품에 대한 불매운동이 일어나자 리우앤컴㈜은 현지 홈쇼핑 MD로부터 한글을 영문으로 모두 가리고 인서트 영상도 모두 중국인이 출연한 영상으로 바꾸어달라는 요청을 받았다. 이에 리우앤컴㈜은 제품포장을 변경하고 인서트 영상도 중국에서 다시 제작하여 '리체나'를 중국제품처럼 보이게 홍보함으로써 사드 위기를 넘길 수 있었다.

한편 앞에서 언급했듯이, 상징적 가치는 기능적 가치보다 경쟁사와 차별화된 브랜드 정체성을 구축하는 데 있어 보다 지속적인 효과가 있다[8][13]. 따라서 해외시장에서 강력한 브랜드 정체성을 구축하기 위해서는 제품의 혁신성 및 품질의 우수성을 나타내는 기능적 연상은 물론이고, 소비자의 감정적 경험을 유발하여 장기적으로 부가가치를 더하는 상징적 연상도 함께 개발할 필요가 있다. 이러한 관점에서 한국 중소기업은 저비용으로 상징적 가치를 창출할 수 있는 원산지 효과를 적극적으로 활용해야 하며, 한류 열풍이 일고 있는 지역과 한국에 대한 이미지가 우호적인 개발도상국 시장을 타깃으로 삼는 것이 브랜드 구축에 유리하다. 그러나 해브앤비㈜와 같이 미국이나 유럽 국가들과 같은 선진국에서 먼저 자사 브랜드를 성공적으로 구축할 경우, 이러한 사실이 우수한 품질과 고급스러운 이미지를 연상시켜 브랜드 정체성을 강화하는 효과를 낳게 된다. 따라서 해브앤비㈜와 같은 기업은 차후에 다른 시장을 공략할 때 브랜드 경쟁력을 더 효과적으로 발휘할 수 있다는 이점이 있다.

| 대외적 마케팅 커뮤니케이션 전략 |

중소기업의 성공적인 브랜드 구축에 대해 고찰한 연구들은 자원이 부족한 중소기업이 제품을 혁신함으로써 스스로를 차별화하며, 브랜드 인지도와 브랜드 이미지 제고를 위해 창의적인 마케팅 프로그램을 개발하고 있다고 밝히고 있다[8][26]. 특히 소비재 중소기업은 구매 고객의 니즈가 다양하고 유통 인프라도 복잡하다. 따라서 기업이 부족한 자원으로 성공적인 브랜드 구축을 이루기 위해서는 저비용 마케팅 커뮤니케이션 방법을 사용한 창의적인 마케팅 프로그램을 개발하는 것이 중요하다[8][27]. 소비자를 겨냥한 저비용 마케팅 커뮤니케이션 방법으로는 입소문, PR, 인터넷(홈페이지, 검색엔진, SNS) 등이 있다[7][20][28]. 또한 최근 세계적으로 인터넷을 통한 소비자들의 구매가 급격히 증가하고 있어 중소기업이 아마존Amazon이나 알리바바Alibaba 계열의 티몰Tmall과 타오바오Taobao 와 같은 대규모 B2C e-marketplace를 활용하여 해외 소비자들에게 물건을 직접 홍보하고 판매하는 경로를 모색하는 것도 효과적이다. 여기에 한국무역협회에서 중소기업의 해외 직접 판매를 지원하기 위해 개설된 해외판매 전용 온라인 쇼핑몰인 'Kmall24www.kmall24.com'를 활용하는 것도 하나의 방법이다. 현재 'Kmall24'는 영어, 중국어, 일어 3개 언어로 서비스되고 있으며, 해외 소비자들이 쉽고 편리하게 사용할 수 있도록 이들에게 최적화된 서비스를 제공하고 있다. 입점한 중소기업은 독립적인 미니숍을 부여받는 것은 물론 외국어 번역 지원부터 물류 및 배송관리, 고객관리 등 전 과정에서 도움을 받을 수 있다. 이를 통해 글로벌 온라인 쇼핑몰에 진출하기 전 해외 소비자의 반응을 테스트할 수 있고, 아마존, 티몰, 이베이ebay 등 글로벌 오픈마켓 연계 판매도 지원하고 있어 중소기업에는 해외시장으로 진출할 수 있는 기회의 장이 될 수 있다.

자사 브랜드를 수출하는 국내 소비재 중소기업의 마케팅 커뮤니케이션에 대한 사례 연구를 살펴보면 기업들은 현지 소비자를 타깃으로 하는 마케팅 커뮤니케이션을 해외 바이어를 통해 간접적으로 실행하고 있는 것으로 나타났다[29]. 마케팅 자원의 부족으로 해외시장 환경에 대한 정보를 입수하는 데 어려움을 겪는 중소기업은 현지 소비자의 구미에 맞는 마케팅 커뮤니케이션 전략을 수행하기 위해 대부분 해외 유통업자에게 의존하고 있다. 따라서 이러한 소비재 중소기업이 해외시장에서 자사 브랜드를 구축할 경우, 마케팅 역량이 우수한 해외 유통업자를 발굴하는 것이 매우 중요하다. 이를 위해 소비재 중소기업은 국내외 전시회에 꾸준히 참석하여 해외 바이어에게 브랜드 인지도를 높이고, 타깃 시장의 바이어를 대상으로 하는 현지어 카탈로그를 제작하거나 전문잡지를 활용하여 제품과 브랜드를 적극적으로 알려야 한다. 홈페이지, 검색엔진, 이메일, SNS, B2B e-marketplace 등의 온라인 커뮤니케이션은 적은 비용으로 쉽고 빠르게 바이어와 소통할 수 있는 가장 효과적인 수단이 된다. 또한 제품기술에 대한 정보 및 홍보자료를 해외 유통업자와 활발히 공유하여 해외 유통업자에게 자사제품 및 브랜드 정체성에 대한 이해를 제고시켜 해외 소비자를 대상으로 효과적인 커뮤니케이션 방법을 함께 모색해야 할 것이다.

한편 산업재 중소기업의 경우 해당 산업재 시장의 특수성을 고려한 효율적인 마케팅 커뮤니케이션 전략을 수립해야 한다[5]. 산업재 분야는 주로 원자재, 부품, 설비, 기구 등을 다루어 제한된 바이어를 대상으로 하기 때문에 B2B e-marketplace 등과 같은 인터넷 채널을 활용한 바이어 발굴은 물론이고, 신기술 제품 동향을 파악하기 위해 해당 기술 관련 박람회, 전시회 또는 학회 등에 참여한 해외 바이어들을 대상으로 전략을 수립하는 것이 바람직하다[5]. 예를 들어 레이저 의료기기 전문기업인 ㈜루트로닉의 주요 마케팅 전략은 키닥터Key doctors의 영향력을 활용하는 방식이다[30]. 국내외 전문의들과 협의하여 루트로닉의 제품을 활용한 임상결과를 국내외 학회에서 발표함으로써 루트로닉의 브랜드와 기술력을 알리는 데 주력하고 있다. 미국 레이저 학회ASLMS와 국제시과학·안과학회ARVO 등 세계적으로 권위 있는 학회에 참가하여 총 400여 편 이상의 연구를 발표하고 세미나를 주최함으로써 세계적인 전문의와 바이어 간 교류의 장을 넓히기 위해 노력하고 있다. 특히 전시회에 꾸준히 참여하는 것은 해외 바이어에게 기업의 인지도를 제고할 뿐만 아니라 신뢰 또한 구축할 수 있어 바이어 발굴에 매우 중요한 수단이 된다[21]. 따라서 전시회에서는 단순한 제품 디스플레이를 뛰어넘어 동영상, 카탈로그, 제품시연, 체험 등 다각적으로 제품을 홍보하는 것이 중요하다[5].

| 글로벌 브랜드 전략 vs. 현지 브랜드 전략 |

기존 연구들은 중소기업이 해외시장 내 브랜드 전략을 결정함에 있어 기업 형태 및 제품 유형을 고려해야 한다고 제안한다[3][7][8]. 주로 첨단기술high-tech 제품을 생산하여 글로벌 시장을 겨냥하는 본글로벌Born Global 기업[4]의 경우, 소비재와 산업재 기업 모두 글로벌 브랜드 전략을 선택하는 것이 유리하다고 말한다[7]. 본글로벌 기업들은 소규모 기업체로 부족한 자본에도 높은 R&D 투자를 통해 혁신적인 제품을 개발하기 때문에 단시간 내에 여러 해외시장에서 시장 점유율을 높이는 것이 기업의 성패를 가를 정도로 중요하다. 따라서 이런 기업들은 단일 브랜드로 마케팅 표준화 전략을 사용하는 것이 유리하다[7]. 특히 소비재 본글로벌 기업의 경우 산업재 기업보다 더욱 넓은 시장을 공략해야 하므로 부족한 자원으로 단시간 내에 해외시장에 진출하기 위해서는 회사 설립 시기부터 글로벌 브랜드 전략을 사용하는 것이 중요하다고 볼 수 있다[7]. 또한 브랜드 이름이 기업 이름과 같을 경우 시너지 효과가 크기 때문에 중소기업이 해외시

---

4 본글로벌 기업은 대체로 기술지향적인 소규모의 기업으로서 설립 초기부터 해외시장으로 진출하여 수출비중이 국내 매출비중보다 큰 기업을 의미한다[31].

장에서 브랜드 자산을 높이기 위해서 기업명과 브랜드명에 같은 이름을 사용하는 것이 좋다[20].

반면, 일반적인Non-Born global 중소기업들은 주로 틈새시장을 공략하는 전략을 전개하며 지역의 특수성을 반영하는 '지역친화적 제품'에 집중하고 있다[17]. 따라서 기존 연구들은 이러한 기업들이 현지화 브랜드 전략을 선택하여 지역별 특수성을 반영한 다양한 브랜드들의 포트폴리오를 개발해야 위험을 분산시키고 지속적인 성장을 이룰 수 있다고 제안한다[8][17][32]. 특히 많은 국내 수출 중소기업들이 브랜드를 한 번 개발할 때 가능하면 여러 나라에서 사용할 수 있는 브랜드를 원한다고 지적하며, 수출활동이 특정 지역에서만 집중되어 이루어지는 경우 그 지역에서의 브랜드 발음과 의미, 다른 브랜드와의 유사성, 법적 등록 가능성 등을 고려하는 현지화 전략을 펼쳐야 한다고 피력하고 있다[17].

한편 기업 규모가 크거나 기업의 혁신성이 높은 중소기업일수록 글로벌 브랜드 전략보다 현지 브랜드 전략을 선호한다[3]. 이는 국내 수출 중소기업의 경우 자본 및 인적자원이 부족하므로 중소기업의 규모가 클수록 현지 전략을 선택하여 다국적 기업의 강력한 글로벌 브랜드와의 직접적인 경쟁을 피하고, 한정된 자원을 특정 시장에 집중하여 효과적인 해외시장 진출을 꾀하기 때문이다. 또한 국내 수출 중소기업의 기술 혁신성이 높다고 하더라도 절대적 수준의 기술우위가 아닌 가격 대비 품질우위라는 한계를 갖고 있기 때문에, 이러한 기업은 제한된 기술 혁신성의 범위 내에서 현지 시장에 적합한 제품을 개발·판매하는 것이 효과적이다[3].

이러한 연구결과들을 종합하면 첨단기술 제품을 생산하는 본글로벌 기업들은 글로벌 브랜드 전략을 추구하는 것이 단시간 내에 여러 해외시장에서 시장점유율을 확보하는 데 유리하나, 일반적인 중소기업은 현지 브랜드 전략을 선택하여 틈새시장의 지역적 특수성을 고려한 브랜드 포트폴리오를 개발하는 것이 위험을 분산시켜 지속적인 성장을 이루는 데 더 적합하다고 할 수 있겠다.

마케팅의 표준화 vs. 현지화 전략

해외시장 내 브랜드 전략을 수립할 때 마케팅의 표준화·현지화 전략을 세분화하여 살펴볼 필요가 있다. 이는 마케팅 요소(제품, 가격, 촉진, 유통)별로 수출하고자 하는 제품의 특성(산업재 vs. 소비재)에 따라 수출성과에 대한 표준화·현지화 전략의 효과가 달라질 수 있기 때문이다[16][29].

국내 산업재 중소기업의 경우 제품은 표준화 전략을 선택하고, 촉진은 현지화 전략을 선택하는 것이 수출성과 제고에 효과적이다[16]. 산업재 중소기업은 제품에 대한 수요가 비교적 유사한 산업재 시장의 특성상 제품의 표준화 전략에 따른 규모의 경제를 실현하여 수출성과를 제고할 수 있다. 반면, 촉진의 현지화 전략은 현지 시장의 바이어에게 보다 설득력 있는 전략으로 이들에게 브랜드에 대한 인지도 및 이미지를 높여 수요를 증가시킬 수 있다. 이렇게 증가된 수요는 현지화로 인해 증가된 비용을 상쇄시켜 전략적·재무적 성과를 모두 향상시킬 수 있다[16].

한편 소비재 중소기업의 경우 마케팅 요소 전반에 걸쳐 현지 시장의 환경 변화에 유동적으로 대응하는 현지화 전략을 선택하는 것이 수출성과 제고에 효과적이다[16][33]. 예를 들어, 제품의 현지화 전략은 전략적 성과 향상에 도움이 된다[16]. 현지 소비자의 취향에 맞는 제품 개발 및 수정을 통해 효과적으로 현지 시장의 니즈를 충족시켜 브랜드 인지도와 이미지를 향상시킬 수 있는 것이다.

그런데 소비자는 시장 환경과 제품 유형(이미지 지향적 vs. 기능 지향적)에 따라 제품 구매 행동의 차이가 크기 때문에 소비재 중소기업은 마케팅 전략 선택에 있어서 타깃 시장의 경제개발 수준과 제품 유형을 고려할 필요가 있다. 소비재 수출 중소기업 10개를 대상으로 사례 연구에서 선진국으로 수출하는 소비재 중소기업은 화장품, 신발, 봉제인형과 같은 이미지 지향적 제품을 수출하는 경우 촉진과 가격 모두 현지화 전략을 사용하는 반면, 청소기, 방수팩 등 기능 지향적 제품을 수출하는 경우 제품의 표준화 전략을 사용했다[29]. 일반적으로 기능 지향적 제품보다 이미지 지향적 제품에 대한 소비자 니즈가 더욱 다양하기 때문에 선진국에 이미지 지향적 제품을 수출하는 중소기업은 현지화 전략을 통해 소비자들의 다양한 니즈를 충족시킬 수 있다. 그리고 선진국 시장에 기능 지향적 제품을 수출하는 중소기업은 제품 표준화 전략을 선택함으로써 비용을 절감하여 품질 대비 가격 경쟁력을 확보할 수 있다. 반면, 개발도상국으로 수출하는 소비재 기업들은 대부분 다품종 소량생산을 통한 제품 현지화 전략을 선택하여 경쟁우위를 확보한다. 하지만 이미지 지향적 제품(의류)의 경우, 타깃 시장의 소비자들이 한류의 영향을 받아 자국(한국)의 제품과 동일한 제품을 원했던 기업에는 자국의 제품과 똑같은 제품을 수출함으로써(제품 표준화) 수익을 높일 수 있었다.

따라서 자사 브랜드 수출 중소기업의 마케팅 전략의 표준화·현지화 이슈는 마케팅 요소와 제품의 특성(산업재 vs. 소비재)을 함께 고려할 필요가 있다. 특히 소비재 중소기업은 제품이 이미지 지향적인지 또는 기능 지향적인지, 타깃 시장의 경제개발 수준과 그 소비자들의 한국에 대한 이미지나 한류에 대한 인식이 어떠한지 등 제품과 시장 특성을 다각도에서 고려해야 한다.

브랜드 전략 방안에 대한 시사점

글로벌 경쟁이 날로 심화되는 환경 속에서 브랜드 구축은 기업의 차별화와 경쟁우위를 확보하기 위한 중요한 수단이다. 그러나 한국 중소기업은 자원의 제약과 전문지식의 부족으로 해외시장 내 브랜드 개발에 적극적으로 나서지 못하고 있다. 이에 중소기업의 해외시장 내 브랜드 정체성 구축 및 마케팅 커뮤니케이션 전략과 해외시장 내 브랜드 전략 유형에 대한 선행연구와 사례를 살펴보고, 국내 중소기업의 해외시장 내 브랜드 구축에 대해 다음과 같은 방안을 제시하고자 한다.

첫째, 중소기업의 브랜드 정체성 구축에 있어서 기업가의 역할이 매우 중요하다. 중소기업의 기업가는 브랜드 정체성의 주된 전달자로서 자신의 비전, 신념 및 가치가 브랜드 정체성의 원천이 되도록 해야 한다. 이에 기업가는 자신의 이미지를 고양해야 하며, 기업 내부 구성원들에게 브랜드에 대한 열정을 불어넣고, 모든 기업 구성원들이 브랜드 가치 및 브랜드 정체성에 대해 확실히 이해하도록 힘써야 한다.

둘째, 중소기업은 강력하고 긍정적인 브랜드 정체성 정립을 위하여 기능적이고 상징적인 연상을 적극적으로 활용하고, 긍정적인 국가 이미지 및 한류 열풍을 2차 연상으로 적절하게 사용할 것을 제안한다. 기능적 연상으로 혁신성 또는 품질의 우수성이 가장 빈번하게 사용되며, 이러한 연상들을 구축하기 위해서는 혁신적 기술에 기반을 둔 신제품 개발능력이 중요하다. 또한 차별화된 기술력을 가지고 소신 있는 가격정책을 펼치거나 파격적인 품질보증을 제공하는 것도 기능적 연상을 강화하는 방편이 된다. 한편 차별화된 브랜드 정체성을 정립하는 데 있어 상징적 연상은 기능적 연상보다 소비자의 기억 속에 더욱 오래 남기 때문에 소비재 중소기업의 경우 상징적인 연상을 보다 활용할 필요가 있다. 한류 열풍으로 한국에 대한 이미지가 호의적이거나 상대적으로 경제발전 정도가 낮은 국가에 진출할 때 원산지 효과를 활용하는 것이 저비용으로 상징적 가치를 창출하는 좋은 방편이 된다. 반면, 선진국에서 먼저 자사 브랜드를 성공적으로 구축할 경우 선진국에 진출했다는 사실이 우수한 품질과 고급스러운 이미지를 연상시켜, 이러한 기업이 차후에 다른 시장을 공략할 때 브랜드 경쟁력을 더 효과적으로 발휘할 수 있다는 이점이 있다.

셋째, 중소기업은 지속적이고 효과적인 마케팅 커뮤니케이션 활동을 전개하여 기업이 구축하고자 하는 브랜드 정체성이 구매자들에게 잘 전달되도록 해야 한다. 소비재 중소기업의 경우 한정된 자원 내에서 최대한 가치를 창출할 수 있는 저비용 마케팅 커뮤니케이션 방법을 사용한 창의적인 마케팅 프로그램을 개발해야 한다. 소비자를 대상으로 하는 저비용 마케팅 커뮤니케이션 방법으로는 입소문, PR, 인터넷 등이 있다. 또한 마케팅 자원과 현지 정보가 부족한 소비재 중소기업의 경우 마케팅 역량이 우수한 해외 유통업자를 발굴하는 것이 매우 중요하며, 이를 위해 전시회, 인터넷, 전문잡지 등을 활용해야 한다. 또한 제품 기술에 대한 정보 및 홍보자료를 해외 유통업자와 활발히 공유하여 해외 소비자를 대상으로 하는 효과적인 커뮤니케이션 방법을 함께 모색해야 할 것이다. 한편 제품에 대한 상세한 정보와 산업 동향 파악이 중요한 산업재 중소기업의 경우 B2B e-marketplace 등과 같은 인터넷 채널을 활용한 바이어 발굴은 물론이고, 신기술 제품 동향을 파악하기 위해 해당 기술 관련 박람회나 전시회, 학회 등에 참여한 해외 바이어들을 대상으로 전략을 수립하는 것이 바람직하다.

넷째, 중소기업이 자사 브랜드를 가지고 해외에 진출할 때, 기업 형태와 제품 유형을 고려하여 브랜드 전략(글로벌 브랜드vs. 현지 브랜드)을 선택해야 한다. 본글로벌 기업과 같이 첨단기술 제품을 생산하여 설립 초기부터 글로벌 시장을 겨냥하는 경우 글로벌 브랜드 전략이 유리하다. 특히 단일 브랜드를 사용할 때, 기업 이름과 브랜드 이름을 동일하게 사용하여 시너지 효과를 창출하는 것이 바람직하다. 이와 달리 일반 중소기업의 경우 현지 시장 상황과 소비자 기호에 적합한 브랜드 개발을 통해 시장 불확실성에 따른 위험요소를 최소화할 수 있는 현지 브랜드 전략이 효과적이다. 또한 해외시장 내 브랜드 구축을 위한 마케팅 전략은 제품 유형에 따라 표준화·현지화 전략을 달리 선택하는 것이 바람직하다. 산업재 중소기업의 경우 제품은 표준화 전략을, 촉진은 현지화 전략을 채택하는 것이 수출성과를 제고하는 데 유리하나, 소비재 중소기업의 경우에는 마케팅 요소 전반에 걸쳐 현지화 전략을 사용하는 것이 수출성과를 제고하는 데 효과적이다. 한편, 소비재 중소기업은 표준화·현지화 전략 선택에 있어 제품이 이미지 지향적인지 또는 기능 지향적인지, 타깃 시장에서의 국가 이미지나 경제발전 수준은 어떠한지 등에 대해 세심하게 고려할 필요가 있다.

마지막으로, 중소기업은 정부지원 및 산학협력을 적극적으로 활용할 필요가 있다. 앞서 언급했듯이, 대기업에 비해 자원의 제약과 전문인력이 부족한 중소기업의 특성상 뛰어난 기술력과 제품을 보유하더라도 막대한 마케팅 비용과 전문인력이 필요한 브랜드 개발과 마케팅에 어려움이 많다. 이에 문재인 정부는 중소벤처기업부 내 해외시장정책관을 신설하여 중소기업의 수출 활성화와 글로벌 성장을 위한 해외진출 지원정책을 더욱 확대하였다. 현재 브랜드 개발뿐만 아니라 해외 전시회 참가, 글로벌 쇼핑몰 입점 및 해외직판 전용 국내 온라인 쇼핑몰 구축과 같은 판로개척을 위한 체계적인 지원정책이 마련되어 있다(표 1). 또한 유수의 대학 및 연구소에서 중소기업 지원, 협업을 위한 산학협력 프로그램들도 마련되어 있다. 한국 중소기업이 정부지원 및 산학협력을 효율적으로 활용한다면 한국 중소기업이 직면하고 있는 여러 제약을 극복하고 글로벌 시장에서 지속 가능한 경쟁우위를 확보할 기회가 많아질 것으로 기대된다.

▨ 표 1. 브랜드 및 마케팅 관련 중소기업 해외진출 지원정책

번호	주관기관	사업명	사업 목적
1	중소벤처기업부 (한국산업기술진흥원)	글로벌 강소기업 지정 및 해외 마케팅	· 혁신성과 성장잠재력을 갖춘 수출 중소기업을 발굴하여 수출 선도기업으로 육성 및 수출 마케팅 지원 · 글로벌 강소기업 전용 해외 마케팅 및 R&D 지원, 각 지자체에서 인력양성, 인증획득, 특허등록, 통·번역 등의 소요비용 지원 · 브랜드 개발, 온라인마케팅, 외국어 포장 디자인 개발 등에 필요한 소요경비 지원

2	중소벤처기업부 (중소기업진흥공단)	수출성공패키지	· 수출역량별 맞춤형 해외 마케팅 프로그램을 지원하여 '내수기업 → 수출기업화' 및 '수출기업 → 수출고도화' 도모 · 외국어 홍보, 디자인 개발, 바이어 발굴, 시장조사 등 해외진출 시 필요한 마케팅 서비스를 패키지로 지원
3	중소벤처기업부 (중소기업진흥공단)	고성장기업 수출역량강화	· 고용 · 매출 · 수출 증가율이 높은 고성장기업의 수출 마케팅 활동 지원을 통해 지속성장을 유도 · 브랜드 개발, 온라인 마케팅, 외국어 포장 디자인 개발 등에 필요한 소요경비 지원
4	중소벤처기업부 (중소기업진흥공단)	아시아하이웨이	· 중소기업의 중국 및 아세안 지역 수출 마케팅 활동 지원을 통해 성공적인 시장진출 도모 · 브랜드 개발, 온라인 마케팅, 외국어 포장 디자인 개발 등에 필요한 소요경비 지원
5	산업통상자원부 (KOTRA)	단체 해외 전시회 바우처	· 해외시장 판로개척 및 수출확대를 위해 해외 유망 전시회 및 전문품목 국제 전시회에 중소기업의 한국관 참가를 지원
6	산업통상자원부 (KOTRA)	소비재 선도 기업 육성	· 5대 소비재 분야별(농수산식품, 화장품, 패션의류, 생활용품 및 유아용품, 건강제품) 선도기업의 해외시장 개척, 소비재 관련 e커머스 기업의 글로벌화를 통한 우리 기업 해외판로 확대
7	중소벤처기업부 (중소기업진흥공단)	GMD (글로벌 시장 개척 전문기업)	· 민간 수출전문기업(GMD)이 수출성장 잠재력이 높고 해외진출을 희망하는 유망 중소 · 중견기업의 해외진출 전 과정을 밀착 지원하여 중소기업의 수출성과 제고
8	중소기업중앙회	업종별 내수기업의 수출기업화	· 중소기업 업종별 단체(협동조합)의 내수중소기업 수출기업화를 위한 해외바이어 초청 국내 수출상담회 지원 · 해외바이어 초청 및 국내 중소기업 1:1 매칭, 초청바이어 DB화 및 정보제공, 상담장 임차료, 통역비 등의 비용 지원
9	중소벤처기업부 대 · 중소기업 · 농어업협력재단	대 · 중소기업 동 반진출	· 대기업의 해외 네트워크 및 인프라를 활용하여 중소기업의 해외판로 확대를 지원하는 사업

10	중소벤처기업부 (중소기업진흥공단)	전자상거래 수출 지원	· 중소기업의 국경 간 전자상거래 시장진출 촉진을 위해 입점, 판매, 물류, 통관, 마케팅, 교육 등 지원 · 상품페이지 제작, 쇼핑몰 등록, 홍보, 배송 등 글로벌 온라인 쇼핑몰 판매대행 및 운영 지원
11	중소벤처기업부 (중소기업진흥공단)	해외유통망 진출 지원	· 미국 · 중국 · 동남아 등 거대 소비시장 공략을 위해 우수 중소기업 제품(소비재)의 현지 유통망 진출 지원 · 현지화를 위한 전문가 코칭과 제품포장, 디자인, 번역 등 현지화 지원 및 홈쇼핑 입점, 판촉전 · 매칭 상담회 참여 등을 통한 홍보 마케팅 지원
12	중소벤처기업부 (중소기업진흥공단)	온라인수출 플랫폼	· 고비즈코리아 플랫폼을 기반으로 글로벌 전자무역 환경에 부응하는 다양한 온라인 서비스 원스톱 제공 · 고비즈코리아에 영어 및 기타 외국어로 상품페이지를 제작하고 구매오퍼 대응 지원 및 홈페이지 최적화 등을 통해 해외 유명 포털사이트에서 검색어 상위 노출 지원
13	중소벤처기업부 (중소기업진흥공단)	수출유망 중소기업 지정	· 성장 가능성이 높은 중소기업을 수출유망 중소기업으로 지정하여 수출지원기관의 해외 마케팅, 수출금융 · 보증 등 우대 지원하는 사업
14	산업통상자원부 (KOTRA)	한류 활용 해외 마케팅 지원	· 한류의 글로벌 확산에 따른 파급 효과를 국내 유망 제조 및 서비스업에 적용하고 경제 한류의 브랜드 파워를 융합한 한류 박람회 및 한류 마케팅 지원
15	한국무역협회	Kmall24를 통한 B2C 해외판매 지원	· 한국무역협회가 운영하는 해외판매 전용 온라인 쇼핑몰을 활용한 해외시장 진출 지원 · 아마존, 이베이 등 오픈마켓 연계 판매를 통한 B2C 해외판매 지원
16	산업통상자원부 (KOTRA)	세계일류 상품 육성	· 국가 수출을 이끄는 1,000개의 핵심 제품 육성을 위해 세계 점유율 5위 이내 품목을 선정하여 생산기업의 종합 해외 마케팅을 지원

17	중소벤처기업부 (중소기업진흥공단)	수출 인큐베이터	· 현지 주요 교역거점에 진출을 원하는 중소기업이 조기 정착할 수 있도록 해외 주요 교역 중심지에 수출 인큐베이터를 설치 · 현지 마케팅전문가, 법률/회계고문의 자문, 사무공간 및 공동회의실 제공 등으로 중소기업의 해외진출 초기 위험부담을 경감하고 조기 정착하도록 지원
18	산업통상자원부 (KOTRA)	해외 물류 네트워크 사업	· 현지 물류창고 이용을 지원하며, 물류컨설팅 제공을 통해 국내 수출기업의 해외시장 진출 확대를 지원
19	중소벤처기업부 중소기업유통센터	중소기업 브랜드 지원*	· 공동브랜드 및 자사 브랜드 개발 · 홍보를 지원하여 마케팅 능력 제고 및 판로개척 지원
20	중소벤처기업부 중소기업중앙회	중소기업 국가대표 공동브랜드(가칭)*	· 중소기업 제품의 우수성 알리기 위해 국가를 대표할 수 있는 공동브랜드 개발

* 중소기업 브랜드 지원사업은 해외진출을 위한 지원제도가 아닌 마케팅 역량 강화 지원사업에 속해 있으며, 중소기업 국가대표 공동브랜드 사업은 추진 예정으로 보고됨

글로벌 CSR과
상생적 파트너십

최순규(연세대 경영대학 교수)
강지훈(연세대 국제경영 박사과정 수료)

세계시장에 성공적으로 진출한 한국기업들이
국가별로 수행하고 있는 대표적인 CSR 활동들을
전략적 관점에서 조망한다.

3.1
국제적 CSR의
필요성과 전략

외국인 비용과
국제적 CSR

　기업이 해외에서 사업을 수행하는 경우 외국기업이기 때문에 현지 기업들이 부담하지 않는 여러 가지 추가적 비용이 발생한다. 국제경영학에서는 그러한 비용을 총칭하여 '외국인 비용liability of foreignness'이라고 부른다[1]. 스리라타 자히어Srilata Zaheer에 따르면 외국인 비용은 크게 네 가지 원인으로 인해 발생한다[2]. 첫째는 본사와 해외사업장 간의 지리적 거리(여비, 운송비, 통신비 등)이고, 둘째는 현지 시장에 대한 정보와 지식의 부족이며, 셋째는 현지인들의 외국기업에 대한 차별이고, 넷째는 외국기업에 불리한 현지 정부의 규제이다.

　일반적으로 지리적 거리나 현지 시장에 대한 정보 부족으로 인해 발생하는 외국인 비용은 첨단 IT 기술의 활용, 지역전문가 채용 등을 통하여 감소시킬 수 있다. 하지만 외국기업에 대한 현지 정부, 소비자, 공급업자, 유통업체들의 불신과 차별은 그 나라의 국민 정서 및 민족주의적 감정과 연관되어 있으므로 대처하기가 쉽지 않다. 진출한 국가에서 외국기업에 대한 차별과 정부 규제는 사업

■ 그림 1. 외국인 비용의 발생 원인

◉ 본사와 해외사업 간 지리적 거리

📋 현지 시장에 대한 정보와 지식 부족

🚫 외국기업에 대한 차별

📱 외국기업에 대한 현지정부 규제

Zaheer(1995)

수행에 큰 지장을 주기 때문에 기업은 그에 따른 외국인 비용을 줄이기 위해 현지인들에게 좋은 기업이라는 명성을 구축해야 하는데, 국제적 CSRCorporate Social Responsibility, 기업의 사회적 책임의 수행은 이를 위한 유용한 전략이 될 수 있다[3].

경제협력개발기구OECD의 정의에 따르면 CSR이란 '기업이 사회와의 공생관계를 발전시키기 위해 취하는 일련의 활동들'이다. 기업은 진출한 국가에서 그러한 활동들을 지속적으로 수행함으로써 현지 정부와 국민에게 그들이 당면한 사회적 문제의 해결과 국가발전에 기여하는 신뢰할 수 있는 기업이라는 이미지를 심어주도록 노력할 필요가 있다.

CSR의
네 가지 단계

아치 캐롤Archie B. Carroll에 따르면 CSR은 수준에 따라 네 단계로 나뉜다(그림 2). 제1 단계는 경제적 책임으로 재화와 서비스를 효율적으로 생산하고 이를 통해 수익을 창출하는 가장 기본적인 수준에 해당하고, 제2 단계는 법률적 책임으로 기업이 불법행위를 하지 않고 법적 의무를 잘 이행하는 것을 의미한다. 제3 단계는 윤리적 책임으로 기업들이 도덕적으로 올바른 규범과 원칙에 따라서 사업을 영위하는 것이고, 제4 단계인 자선적 책임은 기부, 자선 행위처럼 기업의 자원을 활용하여 지역사회에 자발적으로 공헌하는 단계이다[4].

■ 그림 2. CSR의 유형

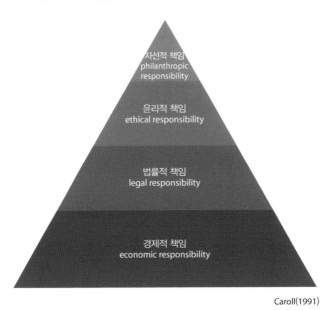

Caroll(1991)

과거에는 기업이 경제적 · 법률적 책임만 잘 수행하면 사회적 책임을 다하는 것으로 간주되었다[5]. 하지만 오늘날 빈부격차, 지구온난화, 환경파괴 등과 같은 사회적 · 환경적 문제들이 심각해지고, 인터넷, SNS 등과 같은 통신기술의 발달로 기업 활동에 대한 정보가 빠르게 대중에게 전달되면서 기업의 사회적 책임에 대한 요구는 점점 더 높아지고 있다. 과거에는 기업에 그다지 엄격하게 적용되지 않았던 윤리적 책임, 그리고 기업 경영자가 본인의 선의에 따라서 자발적으로 수행했던 자선적 책임도 이제는 당연히 기업이 수행해야 할 사회적 책임의 일부가 되어버린 것이다.

그러므로 외국기업이 규제와 차별을 피하려면 현지에서 경제적 · 법률적 · 윤리적 책임을 우선 충실히 수행할 필요가 있다. 나아가 자선적 책임의 적극적인 수행을 통해 진출한 국가가 당면한 사회적 · 경제적 문제에 관심을 보이고 이를 해결하는 데 기여하도록 노력해야 한다. 예컨대, 포스코POSCO는 미얀마에서 마을 도서관 건립 및 도로 확장사업을 지원하였고, 두산그룹은 중국의 낙후된 지역에 초등학교를 지어주는 '희망소학교 사업'을 전개하였으며, 현대자동차는 이집트에서 '교통사고 유자녀 소원 들어주기' 캠페인을 벌인 바 있다.

기업은 이러한 국제적 CSR 활동을 통해 외국인 비용을 줄이고 현지인들의 신뢰를 얻을 수 있다. 비록 외국회사이지만 그 나라의 사람들이 심각하게 느끼는 사회적 · 경제적 문제의 해결에 '자발적으로' 동참하는 모습을 보여주는 것은 우리 회사가 단지 돈을 벌기 위해서 그 나라에 진출한 것이 아니라 그 나라의 발전에도 기여하는 정말로 필요한 기업시민이라는 인식을 현지 정부와 국민에게 심어주는 유용한 방법이 될 수 있다.

사회와 기업 모두에게
혜택을 주는 전략적 CSR

| 반응적 CSR과 전략적 CSR |

어떠한 CSR을 수행해야 하는가? 그에 대한 대답은 마이크 포터_{Michael Porter}와 마크 크레이머_{Mark Kramer}가 2006년 『하버드비즈니스리뷰』에 발표한 논문「전략과 사회: 경쟁우위와 CSR 간의 연결고리」에서 찾을 수 있다[6]. 이들은 CSR을 '반응적 CSR(responsive CSR)'과 '전략적 CSR(strategic CSR)'로 구분하였다. 반응적 CSR이란 기부나 자원봉사와 같이 어느 기업이나 손쉽게 할 수 있는 것으로 비교적 수동적이고 소극적인 형태의 사회적 활동을 의미한다. 그 목적은 정부, 소비자, 지역사회 등과 같은 외부 이해관계자들이 자사에 불리한 영향을 미치는 것(예, 불매운동)을 방지하고 호의적인 기업 명성을 구축하는 것이다.

포터와 크레이머는 반응적 CSR이 연속성을 가지기 어렵고 기업의 능력과 무관하게 이루어지기 때문에 효과적으로 당면한 사회적 문제의 해결에 기여하는 데 한계가 있다고 지적했다. 따라서 이들은 반응적 CSR보다는 기업이 자신의 전략 및 능력과 연계해 더욱 진취적으로 사회적 문제를 해결하는 전략적 CSR을 추구해야 한다고 강조하였다. 전략적 CSR이란 사회적 책임활동이 단순히 비용 지출이라는 관점에서 벗어나 사회적 문제 해결과 기업의 경제적 이익을 동시에 추구하는 기업의 사회적 책임활동을 의미한다.

■ 표 1. 반응적 CSR과 전략적 CSR 비교

	반응적 CSR (responsive CSR)	전략적 CSR (strategic CSR)
사업 목적과의 연관성	관련 없음	관련 있음
활동의 지속성	일시적	지속적
대상 사회적 이슈	일반적 이슈	기업 활동과 연관된 이슈
효과	공공의 이익	공공의 이익+기업의 이익
모방 가능성	쉽게 모방 가능	모방하기 어려움

Porter and Kramer(2006)

| 사회적 이슈의 우선순위 파악 및 선택 |

포터와 크레이머는 기업이 자신에게 적합한 전략적 CSR 활동을 찾아내기 위해서 사회가 당면한 이슈들을 '일반적인 사회 이슈', '생산활동에 영향을 미치는 사회 이슈', 그리고 '경영환경에 영향을 미치는 사회 이슈'로 구분할 것을 제안했다.

■ 표 2. 사회적 이슈의 우선순위

	일반적 이슈	생산활동에 영향을 미치는 이슈	경영환경에 영향을 미치는 이슈
공연 지원	KT		KB국민카드
탄소배출	신한은행	CJ대한통운	현대자동차
아프리카 에이즈	이마트	GlaxoSmithKline	Anglo American

Porter and Kramer(2006)의 내용을 일부 수정

'표 2'와 같이 공연 지원은 통신회사인 KT에, 그리고 탄소배출은 금융회사인 신한은행과는 직접적 관련이 없는 일반적인 사회적 이슈이다. 하지만 탄소배출에 대한 규제는 택배사업으로 많은 차량을 운영하는 CJ대한통운의 생산활동(운송)에 직접적으로 영향을 미칠 수 있는 사회적 이슈이고, 아프리카에서 에이즈가 확산되는 것은 클락소스미스클라인Glaxo SminthKline과 같은 글로벌 제약회사에게 신약개발 전략을 바꾸게 하는 중요한 이슈가 된다. 한편 공연 지원은 KB국민카드에게는 수입에 영향을 미칠 수 있는 중요한 경영환경적 이슈이다. 왜냐하면 공연사와의 제휴, 예컨대 티켓 할인 행사 등을 통해 자사 신용카드의 사용을 촉진시킬 수 있기 때문이다. 마찬가지로 탄소배출규제는 가솔린 차량에 대한 수요를 감소시키고 전기차와 하이브리드 차량에 대한 수요를 증가시키므로 현대자동차에게 중요한 사회적 이슈이다. 또한 세계 최대의 석탄 채굴회사인 앵글로 아메리칸Anglo American에게 있어서 아프리카에서 에이즈가 확산되는 것은 현지 탄광의 인부 확보에 영향을 미칠 수 있는 경영환경적 이슈라고 볼 수 있다.

이러한 분석을 통해 기업은 생산활동에 영향을 미치는 이슈들과 경영환경에 영향을 미치는 이슈들을 파악한 후, 다음 두 가지 기준에 의해서 전략적 CSR을 수행할 이슈를 선정해야 한다.

기업이 효과적으로 해결할 수 있는 이슈 파악

기업은 제한된 인력과 자원을 가지고 있으므로 자사 사업과 관련된 사회적 문제들을 모두 해결하는 데 기여할 수는 없다. CSR은 이익을 추구하는 활동이 아니므로, 기업의 입장에서도 사회의 입장에서도 기업이 가장 효율적으로 문제 해결에 기여할 수 있는 사회적 문제에 CSR 자원과 노력을 집중하는 것이 바람직하다. 따라서 기업은 자사의 기술, 자원, 인력, 사업경험 등을 고려하여 가장 효과적인 해결방안을 제시할 수 있는 사회적 이슈를 선택해야 한다.

사회와 기업 모두에게 혜택을 주는 이슈 선택

기업이 효과적으로 해결할 수 있는 사회적 이슈들 가운데 사회와 기업 모두에게 혜택을 가져다줄 수 있는 이슈를 선택하고, 이를 위한 CSR 프로그램을 개발해야 한다. 예를 들어, 기업이 무료 직업교육 프로그램을 실시하는 것은 사회에 우수한 기술 인력의 공급을 늘리는 혜택을 주고, 기업에 양질의 기술 인력 확보를 용이하게 하는 혜택을 줄 수 있다. 또한 기업은 탄소가스 배출량을 줄이면서 운용비용을 절감하는 공정기술을 개발할 수 있으며, 폐기물 배출이 적은 친환경 제품의 개발을 통해 환경을 보호하고 동시에 시장에서 제품 차별화를 도모할 수 있다.

국제적 CSR의
표준화와 현지화

기업이 해외에서 CSR을 수행할 때 당면하는 어려운 문제 가운데 하나는 얼마나 국제적 CSR을 '표준화standardization' 또는 '현지화customization'하는가이다[7] [8]. CSR을 표준화하여 여러 해외시장에서 같은 형식과 내용의 CSR 프로그램을 수행하는 것은 국제적으로 동일한 기업 이미지를 구축하고, 자국에서 개발한 CSR 전략 및 자원을 해외에 이전하여 효율적으로 활용하며, 동일한 CSR 프로그램을 여러 국가에서 반복해서 운용하므로 규모의 경제를 통해 비용절감이 가능하다는 이점이 있다. 그러나 표준화된 CSR은 각국의 특유한 상황(예, 소득수준)을 반영하지 않으므로 현지인들의 호응도가 낮아 해외시장에서 좋은 기업 이미지를 구축하는 데 도움이 되지 않을 우려가 있다.

반면에 CSR을 각국의 상황에 맞도록 현지화하는 것은 해당 국가가 당면한 중요한 사회적 문제들을 정확히 파악하고, 그에 효과적으로 대응하는 사회적 프로그램을 개발·운영할 수 있는 장점을 가진다. 그러나 나라마다 다른 사회적 상황에 개별적으로 대응하기 때문에 현지화에 따른 추가 비용이 발생하고, 현지화된 CSR은 대개 본사보다는 현지법인의 주도로 추진되기 때문에 국제적 CSR을 전사적인 관점에서 본사의 글로벌 전략과 연관하여 일관성 있게 추진하기 어렵다는 한계를 가진다.

▧ 표 3. CSR 표준화와 현지화의 장단점

CSR 활동	표준화	현지화
장점	· 국제적으로 통일된 기업 이미지 구축 · 본사 CSR 노하우와 자원의 국제적 활용 · 규모의 경제를 통한 비용절감	· 현지 국가의 특유한 상황과 사회적 요구에 대한 효과적 대응 · 해외 현지법인의 지식과 경험 활용 · 현지 사업에 부합되는 CSR 활동 수행
단점	· 현지 국가의 특유한 상황과 사회적 요구에 대한 고려 부족 · 본사에 전담 CSR 부서 운영 및 인력배치에 따른 재정적 부담	· 국제적 CSR을 본사의 전사적 경영전략 및 기업 이미지와 일관성을 갖도록 추진하기 곤란 · 국가마다 다른 CSR 프로그램 개발에 따른 추가적 비용

그렇다면 기업은 어떻게 양자의 장점을 최대한 살리면서 국제 CSR을 추구할 수 있을까? 그에 대한 유용한 접근 방법은 다음과 같다.

첫째, 본사는 기업의 이미지 및 사업전략과 연관성이 깊은 소수의 사회적 이슈를 선정하고, 이들에 대해서는 본사가 주도하여 표준화된 '핵심 CSR 프로그램flagship CSR program'을 만들어 전 세계적으로 실시한다. 예를 들어, 삼성전자는 2003년에 'DigitAll Hope'라는 테마로 IT 기술을 활용하여 사회적 문제를 해결하는 방안을 공모하는 프로그램을 인도네시아에서 시작한 후 이를 싱가포르, 말레이시아, 필리핀, 태국, 베트남 등으로 확대하였다. 이 공모전의 우승자들에게는 상장과 함께 금전적인 포상이 수여되었고, 제안된 방안이 실제로 구현될 수 있도록 삼성전자가 전문가 컨설팅 및 기술 지원을 제공하였다. 이 CSR 프로그램은 한국 본사의 CSR 담당부서가 주도하여 진행하였고 삼성전자가 추구하는 '혁신적인 디지털 기업'의 이미지에 부합하도록 심사 기준과 절차를 마련하였다.

둘째, 본사가 주도하는 핵심 CSR 프로그램 이외의 프로그램들은 현지법인에게 권한을 이양하여 현지의 실정에 맞는 활동을 전개하도록 허용한다. 이 경우 본사는 현지법인이 실시하는 CSR 프로그램에 일일이 간섭하지는 않지만, 본사가 추구하는 전사적인 CSR 전략의 방향에 일치되도록 가이드라인을 제시하고 현지법인이 효과적인 활동을 수행하도록 교육과 정보(예, 다른 국가에서 성공한 CSR 활동 소개)를 제공한다. LG전자는 2005년부터 인도네시아에서 'I Love School'이라는 테마로 낙후된 지역의 학교들을 찾아가 컴퓨터실 및 교육용 IT 시설을 설치해주는 활동을 전개하여 현지 정부와 국민으로부터 큰 호응을 받았다. 이 프로그램은 청소년 관련 봉사활동에 중점을 둔다는 본사의 CSR 전략에 따라서 LG전자 인도네시아 법인이 전 과정을 독자적으로 기획하고 진행하여 큰 성공을 거둔 사례이다.

요컨대, 국제적 CSR을 수행할 때 기업은 1, 2개의 핵심 CSR 프로그램을 선정해 이를 본사 주도로 표준화하여 주요 해외시장에서 공통으로 시행하고, 다른 CSR 프로그램들은 현지법인이 각국의 상황에 맞도록 기획·운영하는 것이 바람직하다. 이러한 양면적 전략을 통하여 기업은 CSR 표준화와 현지화가 가지는 장점을 모두 활용할 수 있다.

국제적 CSR 전략의
시사점

해외시장에 진출한 기업은 현지 기업에 비해 여러 가지 불이익을 경험하게 되는데, 특히 외국기업에 대한 규제와 차별은 외국인 비용을 증가시켜 사업 운용에 많은 지장을 주기도 한다. 이를 극복하기 위한 유용한 전략은 현지에서 효과적인 CSR 활동을 수행하여 그 나라 발전에 기여하는 신뢰할 수 있는 기업이라는 긍정적 이미지를 구축하는 것이다.

외국기업은 현지 정부와 국민으로부터 많은 감시를 받기 때문에 경제적 · 법률적 · 윤리적 책임을 보다 충실히 수행할 필요가 있다. 나아가 그 나라가 당면한 주요 사회적 · 경제적 문제의 해결에 자발적으로 참여하는 자선적 책임을 수행하는 것은 현지 정부와 국민으로부터 신뢰를 얻는 좋은 방법이 된다. 기업은 그러한 CSR 활동을 수행할 적절한 사회적 이슈를 선정하기 위해서 첫째, 어떤 이슈들이 우리 사업과 깊은 연관성을 가지는지를 파악하고, 둘째, 그러한 이슈들 가운데 기업이 보유한 인력과 자원을 활용하여 효과적인 해결책을 제시할 수 있는 이슈들을 찾아내어야 한다. 그리고 최종적으로 기업과 사회가 모두 혜택을 얻을 수 있는 이슈를 선정하여 이를 실현할 수 있는 효과적인 CSR 프로그램을 개발해야 한다.

끝으로 국제적 CSR을 수행 시 표준화와 현지화를 적절히 조화시킬 필요가 있다. 바람직한 전략은 기업의 경영전략 및 이미지에 부합되는 소수의 핵심적인 표준화된 CSR 프로그램을 본사 주도로 개발하여 전 세계적으로 시행하고, 그 이외의 CSR프로그램은 본사의 CSR 전략 방향에 맞추어 현지법인들이 자체적으로 개발하여 시행하며 본사는 이를 위한 교육과 정보를 제공하는 것이다.

정소원(상명대학교 조교수)

양희순(성균관대학교 전임연구원)

해외에 동반진출한 홈쇼핑 대기업과

중소 협력업체의 사례를 소개하고 분석한다.

3.2
해외진출을 위한 유통대기업과 중소기업의
상생적 글로벌 파트너십

   홈쇼핑 업계는 국내 유통 시장의 침체에도 불구하고 비교적 선전하고 있다. 메이저 홈쇼핑 4개사 GS홈쇼핑, CJ오쇼핑, 현대홈쇼핑, 롯데홈쇼핑 모두 2017년에 두 자릿수 영업이익을 기록하며, 시장규모 17조 1,931억 원을 기록하였고, 2018년 영업이익은 전년 대비 7% 성장한 18조 원대로 예상된다[1][2]. 그러나 영업이익의 증가세에도 불구하고, 2013년 이후 4년 연속 한 자릿수 성장률은 홈쇼핑 업계 저성장이 장기화될 조짐으로 보인다. 이에 홈쇼핑 업계는 성장 동력 마련을 위해 PB 브랜드 개발, 모바일, T커머스 등 다양한 플랫폼을 도입하며 새로운 시도를 하고 있다[2]. 그뿐만 아니라 장기적 내수 부진으로 정체된 성장을 타개하기 위해 해외 기업과 합작회사 JV, Joint Venture 형식으로 해외시장에 진출하고 있다. CJ오쇼핑은 2004년 중국을 시작으로 가장 먼저 해외에 진출하였으며, GS · 롯데 · 현대 홈쇼핑 또한 적극적으로 해외시장 확대를 위해 노력하고 있다[3]. 이처럼 해외 홈쇼핑 네트워크가 활성화되면서 홈쇼핑 업체들은 그동안 제품을 공급해왔던 중소기업들과의 동반진출을 통해 제품의 우수성을 알리고 해외판로를 개척할 기회를 마련하고 있다.
   새 정부 출범으로 대기업과 중소기업의 동반성장이 화두로 떠오르면서 중소기업과의 상생 활동을 강화하려는 움직임이 늘고 있다. 2008년 경제위기 이후 대기업과 중소기업 간 양극화가 굳어져 이에 대한 우려가 계속해서 제기되었고, 이를 해소하기 위한 정부 노력의 일환으로 2010년 동반성장위원회가 출범하였다. 이후 양극화 현상을 해소하기 위해 동반성장위원회를 중심으로 무역협회, 대한무역투자진흥공사KOTRA, 중소기업청 등 다양한 정부기관들이 중소기업에 실질적 도움을 줄 수 있는 다양한 정책과 제도를 지속적으로 시행 중이다. 동반성장은 대기업과 중소기업이 단기적인 이윤 극대화를 추구하기보다는 중장기적 관점에서 지속 가능한 기업생태계 형성을 위해 상호 간 상호협력하는 관점으로 설명할 수 있다[4]. 한국경제의 지속적인 발전과 성장 동력, 해외시장에서의 경쟁력을 확보하기 위해서는 대·중소기업 간 균형 잡힌 발전이 필요하며, 상생적 협력관계의 구축이 필수적이다[5].

특히 소비재 중소기업의 경우, 경쟁력 있는 기술을 기반으로 우수한 제품을 생산함에도 마케팅 자원과 해외 경험의 부족으로 판로개척에 어려움을 겪을 때가 많다. 이러한 기업들은 해외시장 네트워크와 마케팅 자원을 가진 유통대기업과의 해외 동반진출을 통해 해외시장에 진입할 수 있는 발판을 마련할 수 있다. 한국 홈쇼핑 업체들은 흥미로운 콘텐츠와 생생한 정보 전달로 한국형 홈쇼핑 문화를 해외시장에 전파하며 성공적으로 해외 네트워크를 구축하고 있다. 인지도나 브랜드력이 낮은 중소기업의 입장에서 이러한 홈쇼핑 기업과의 동반진출은 해외시장에서 추가적인 광고 비용을 들이지 않고도 제품을 홍보하고 판매할 수 있어 매우 효과적이다. 또한 중소기업의 해외판로 개척 및 성장을 통해 한국경제의 양극화 해소와 균형적인 발전에 기여할 것으로 사료된다. 따라서 홈쇼핑 대기업과 중소기업의 해외 동반진출 사례를 통해 해외판로 개척을 위한 상생협력, 동반진출 과정, 혜택 및 성과, 어려움 등을 살펴보고, 대·중소기업 해외 동반진출 관련 정부지원사업의 효율적인 지원 방향을 제시해보고자 한다.

㈜주은과
롯데홈쇼핑

| 기업소개 |

롯데홈쇼핑은 현재 대만과 베트남에 진출해 있다. 2004년에는 대만 최대 금융 지주회사인 푸방富邦그룹과 함께 모모닷컴을 설립한 후, 2005년 1월 모모홈쇼핑이라는 채널명으로 해외시장에 진출했으며, 설립 2년 만에 흑자 전환에 성공한 데 이어 2008년 이후 대만 내 TV 홈쇼핑 부문 1위를 유지하고 있다. 2014년에는 대만 증권거래소에 상장되며 기업 가치가 급상승했으며, 2016년에는 연 매출 1조 원을 돌파했다[6]. 롯데홈쇼핑은 현재 대만에 진출한 유일한 국내 홈쇼핑 기업이며, 2016년 기준 모모홈쇼핑을 통해 판매된 한국 중소기업 제품의 매출액은 약 10억 원 정도이다.

2012년 2월에는 베트남의 대형 미디어 그룹 닷비엣DatVietVAC과 합작법인 '롯데닷비엣Lotte Datviet'을 설립하였다. 롯데홈쇼핑이 직접 운영하고 있으며, 방송을 통해 판매되는 한국 중소기업 상품들의 비중은 약 20% 정도이다. 베트남에서 판매 중인 롯데홈쇼핑의 한국 브랜드 중 90% 이상이 중소기업 제품들인데, 우수한 품질의 상품을 보유하고 있지만 판로개척에 어려움을 겪고 있는 중소기업들의 해외진출을 돕고 있다[6].

롯데홈쇼핑과 함께 해외 동반진출을 꾀하고 있는 ㈜주은은 홈쇼핑벤더로 근로자 수가 5명인 소규모 중소협력업체이다. 현재 롯데홈쇼핑을 통해 대만과 베트남에 진출해 있다. 해외 동반진출 제품은 '원샷 매직 클린 세정제'이다.

구분	수탁기업	위탁기업
업체명	㈜주은	롯데홈쇼핑
설립 연도	2012년 1월 1일	2001년 5월 29일
대표자	신동운	이완신
사업 분야	홈쇼핑벤더 수입 & 수출(이미용품, 소형가전, 주방용품, 잡화, 무역 등), 특판, 일반 유통	TV홈쇼핑, 인터넷 쇼핑몰 운영
소재지	인천 광역시 계양구 장제로 995번길 7, 4층(무진빌딩)	서울 영등포구 양평로 21길 10 롯데양평빌딩
해외 동반진출 시작 연도	2016년	2016년
진출 국가	태국, 베트남, 대만, 인도네시아	태국, 베트남

| 해외 동반진출을 위한 상생협력 |

2012년 설립된 중소기업 ㈜주은은 3년 전부터 심각한 경영 위기에 빠졌으나 2016년 롯데홈쇼핑에서 주최한 '해외시장개척단' 프로그램에 참여하여 베트남에 진출하면서 재기에 성공했다(사진 1)[7]. 또한 2017년 6월에는 KOTRA와 롯데홈쇼핑이 공동 주관한 '타이베이 한류상품박람회'에 참여하여 약 500만 달러(약 57억 원)에 이르는 수출 실적을 이뤄냈다[8]. 이는 해외판로 개척이 쉽지 않은 중소기업으로서는 커다란 성과라 할 수 있다. 이러한 한류상품박람회를 민간기업이 정부기관과 함께 공동 주최한 것은 롯데홈쇼핑이 처음이다. 이 박람회에서 수출 상담회를 진행한 결과 총 6,300만 달러(약 715억 원)의 실적을 냈다[9].

롯데홈쇼핑은 중소기업의 판로개척 및 해외진출을 돕는 실질적인 프로그램을 운영하고 있다. 롯데홈쇼핑이 운영하는 해외시장개척단 프로그램은 컨설팅

■ 사진 1. 2017 타이베이 한류상품박람회

부터 국내외 판로지원까지 롯데홈쇼핑과 중소기업의 '동반성장'이 가능한 상생
프로그램을 표방한다. 롯데홈쇼핑은 해외시장개척단 프로그램의 일환으로 국
내 기업의 해외박람회 참가를 지원하고, 현지 숙박 등의 편의도 제공하고 있다.
2016년 12월부터 현재까지 총 5회에 걸쳐 시행되었는데, 이 프로그램은 현지
유통시장 설명회와 구매상담회 등으로 구성되어 있다(표 2)[7]. 롯데홈쇼핑에서
는 해외시장개척단 프로그램을 통해 모집한 중소기업에 단순히 바이어 매칭만
을 해주는 게 아니라 매칭에 앞서 롯데홈쇼핑의 해외사업팀 직원들이 협력사들
과 만나 제품을 상품화하기 위한 작업을 한다. 즉 현지에 맞는 디자인, 적정가
격 제안, 패키징 등에 대한 상담을 통해 수출 성공률을 높이는 작업을 하는 것
이다. 이러한 작업을 통해 중소기업의 해외진출을 지원함으로써 한류 확산에도
기여하고 있다.

시기	국가	참여기업 수	실적
2016년 12월	대만	20개	210건, 1,100만 달러
2017년 2월	대만	40개	B2C 판매
2017년 6월	대만	80개	800건, 6,300만 달러
2017년 9월	인도네시아	62개	700건, 6,250만 달러
2017년 11월	베트남	100개	707건, 1만 6,800만 달러

해외시장개척단에 포함될 중소협력사 선정 방식은 다음과 같다. 먼저 중소기업청 사이트나 롯데홈쇼핑 홈페이지를 통해 모집공고를 낸다. 선정위원회는 해외시장개척단을 공동 주관하는 KOTRA나 대중소협력재단과 롯데홈쇼핑 MD들로 구성되어 있다. 선정위원회에서 1차 선정을 한 뒤 현지 MD에게 상품리스트를 보내 평가하게 한다. 이러한 선정과정에서 최대한 공정성을 확보하기 위해 노력한다.

해외시장개척단 활동과 더불어 롯데홈쇼핑에서는 2016년 12월에 온라인 수출 상담사이트를 개설했다. 롯데홈쇼핑 협력사들이 사이트에 가입해서 상품들

■ 사진 2. 롯데홈쇼핑 온라인 수출사이트

trade.lottehomeshopping.com

을 업로드하면 사이트에 가입한 해외 바이어들이 가입 상품을 볼 수 있게 한다. 해외 바이어가 원하면 실시간으로 상담을 연결시켜 주고, 수출을 진행하는 일종의 E-카탈로그 역할을 하는 B2B 사이트이다. 현재 사이트는 한국어, 중국어, 영어로 제공된다(사진 2).

| 동반진출 과정 |

사실 ㈜주은은 국내 홈쇼핑 진출에 상당한 어려움을 겪고 있었다. 국내 홈쇼핑사에 제품을 들고 가면 성분이나 제품 효과에 대해 인정을 하면서도 브랜드의 인지도가 없다는 이유로 거절당하기 일쑤였다. 그러던 중 롯데홈쇼핑 해외사업팀과 미팅을 갖게 되었다. 롯데홈쇼핑 해외사업팀에서 해외 동반진출을 함께할 수출상품을 찾던 중에 ㈜주은의 '원샷 매직 클린 세정제'를 알게 되어 롯데홈쇼핑에서 샘플을 요구했고 샘플을 대만, 베트남, 인도네시아에 보내게 되었다. 해당 제품이 대만에서 좋은 반응을 얻고, 대만의 모모홈쇼핑을 통해 판매되면서 해외 동반진출이 시작되었다. ㈜주은 대표는 국내 홈쇼핑에 진출하기 어려웠기 때문에 해외시장이라도 개척해보고 싶다는 생각을 하고 있었다. 그러나 ㈜주은은 수출 경험이 전무하고, 해외진출에 대해 잘 알지도 못하는 터라 시작할 엄두조차 못 하고 있던 상황이었다. 이때 롯데홈쇼핑에서 적극적으로 지원하게 되면서 해외 동반진출이 비교적 원활하게 시행될 수 있었다. 이에 대해 ㈜주은 대표는 다음과 같이 말한다.

[인터뷰]

"근데 대만에서 그게 생각 의외로 빵 터지더라고요. 대만 모모홈쇼핑에서요. 그래서 갔는데, 오더가 들어오는데, 깜짝깜짝 놀랄 정도로 오더가 들어오는데, 저는 수출을 안 해봤어요. 수출하는 방법도 몰랐어요. 그리고 수출을 하게 되면 저희가 뭐 구매확인서도 끊어야 하고, 영세일계산서도 만들어야 하고, 절차가 엄청 복잡하더라고요. 그런데 이런 모든 부분에 대해서 롯데 해외사업팀에서 하나하나 다 알려주더라고요. 이건 이렇게 해야 되고, 이 서류는 이렇게 준비를 해줘야 되고, 하나의 길라잡이를 만들어주더라고요."

㈜주은 대표

그동안 국내 홈쇼핑에서 문전박대를 많이 당했기 때문에 롯데홈쇼핑에서 이렇게 도움을 주는 것에 처음에는 당황했지만, 진심으로 도와주려는 롯데홈쇼핑의 선의를 알고 마음의 문을 열게 되었다고 한다. 이후에도 ㈜주은의 어려운 상황을 보고 롯데홈쇼핑에서 적극적으로 지원해주었다. 예를 들어 ㈜주은은 수출 관련 메일이 중국어나 영어로 오면, 답변하는 데 어려움이 있었다. 영세한 중소협력업체이기 때문에 커뮤니케이션이 가능한 직원이 없기 때문이다. 이때 롯데홈쇼핑에서는 메일을 번역해주고 피드백도 해주는 등 적극적으로 지원해주었다. ㈜주은의 사례처럼 롯데홈쇼핑에서는 중소협력업체의 번역이나 수입통관 서류 작성을 서비스로 지원해주고 있다.

롯데홈쇼핑과 ㈜주은의 해외 동반진출 방식은 기본적으로 국내 홈쇼핑 기업의 해외진출 방식과 마찬가지로 롯데홈쇼핑에서 ㈜주은으로부터 해외판매 전량을 직매입하고 있으며, 완사입의 형태이다. 이것은 중소협력업체에 상당히 유리한 방식이다. 중소 규모의 기업이 해외에 직접 수출을 하게 되는 경우 대금 사고의 위험이 있지만 롯데홈쇼핑에서 완사입을 해주기 때문에 대금 사고의 위험이 없고 재고 부담의 문제도 없기 때문이다. 롯데홈쇼핑에서는 중소기업 제품을 직매입해서 해외에 판매하게 되면 5%의 수수료를 갖게 된다. 일반적으로 계약은 상황에 따라 다르지만 처음에 소량씩 계약을 하게 되고 잘 된다 싶으면 대량으로 주문하는데 1년, 2년 단위로 분기마다 주문이 이어지기도 한다. 주문이 이어지면서 롯데홈쇼핑은 상품 개량을 제안하고 현지의 요구에 맞게 상품화하기 위한 아이디어도 제시하면서 중소협력업체가 상품을 개발할 수 있도록 독려한다. 이는 중소협력업체에는 도움이 되지만 롯데홈쇼핑 입장에서는 해외에 한 번에 판매되는 수출물량이 적기 때문에 실질적으로 이익을 내기 어려운 구조이다.

롯데홈쇼핑의 현지 운영은 베트남과 대만이 다른 양상을 보인다. 베트남에서는 롯데홈쇼핑이 직접 운영을 하지만 대만은 지분참여로 이루어진 형태이기 때문에 대만 현지에서 판매할 때는 현지의 팀들이 알아서 운영한다. 본사에서는 의견을 제시하는 정도이고 현지에 팀장급, 과장급, 차장급이 주재원으로 파견이 되지만 현지 운영은 어디까지나 현지팀에서 알아서 한다.

| 동반진출 혜택 및 성과 |

사실상 해외 동반진출의 실질적 혜택은 중소협력업체에 있다고 볼 수 있다. 대기업인 롯데홈쇼핑에서는 해외 동반진출의 목표를 이익창출에 두지 않는다. 중소기업과의 동반성장, 즉 상생을 목적으로 중소기업의 해외판로 개척을 위해 노력하고 있다. 이익보다는 수출기반을 늘리고, 해외 동반진출하는 중소협력업체에 다양한 지원을 제공함으로써 기업의 평판도를 높이고, 사회공헌에 이바지하는 것을 해외 동반진출의 혜택으로 본다. 2017년 3월에 부서 이름도 대외협력팀에서 동반성장팀으로 바꾸었다. 그야말로 중소기업과의 동반성장이 롯데홈쇼핑의 목표인 것이다.

[인터뷰]
"해외수출에서 금전적인 것을 바라지는 않아요. 해외수출을 돕는 첫 번째 이유는 해

외법인에 한국상품의 풀을 좀 늘리고 싶고, 두 번째는 말 그대로 동반성장이 목적이에요. 그렇게 판로지원 많이 해주는 게 저희 팀의 일이기도 하고…. 이윤추구와 관련된 목적은 없고, 오로지 많은 중소기업들이 도움을 받고 여러 판로를 확보하는 게 목적입니다. 또 정부지원사업들이 많이 있는데, 그런 사업을 최대한 많이 찾아서 저희와 조인해 혜택을 많이 보게 하는 게 목적이에요."

롯데홈쇼핑 동반성장팀 대리

㈜주은의 경우 브랜드 인지도가 낮아 국내 홈쇼핑에 들어가는 것이 어려웠다. 그러나 해외에서는 브랜드보다는 제품력에 초점을 맞추고 있기 때문에 해외 홈쇼핑에 진출할 수 있었다. 그리고 해외 홈쇼핑 진출을 발판으로 역으로 국내 홈쇼핑 진입에 성공할 수 있었다. ㈜주은은 독자적으로는 수출하기 어려운 상황에서 롯데홈쇼핑의 인프라와 자원을 활용하여 해외판로를 개척하고 해외 진출을 위한 경쟁력을 갖추는 데 도움을 받았다. 롯데홈쇼핑과 ㈜주은이 협력 관계를 구축할 수 있었던 것은 신뢰가 밑바탕이 되었기 때문에 가능하다. ㈜주은 입장에서는 지속적인 상품개발을 통해 실적을 높이는 것이 신뢰를 구축하는 것이라 말한다.

[인터뷰]

"순간적으로 본인이 생각했을 때 이렇게 하면 될 것 같다고 하다가도, 중소기업 입장에서 다른 계산들이나 혹은 다른 조건들을 밖에서 들었거나 할 때는 말을 바꾸는 케이스도 있을 수 있거든요. 그런 경우에는 파트너십 관계에서 그 업체를 믿고 가기에는 어려운 부분이 있어요. 또 물량을 제때 준비하지 못한 경우도 있고요. 수출은 날짜를 못 맞추면 큰 문제가 발생하는 거라서…."

롯데홈쇼핑 동반성장팀 대리

154

| 동반진출의 어려움 |

중소협력업체의 경우 해외진출을 위한 비용부담이 가장 큰 문제이다. 특히 제품 인증 비용과 인서트 영상 제작 비용이 크게 작용한다. 해외진출을 위한 인증을 제조사에 요구하는데, 이때 인증 비용이 문제가 될 때가 많다. 또한 해외진출 시 필요한 인서트 영상을 제작하기 위해서는 약 1천5백에서 2천만 원가량의 비용이 들어가게 되는데 소규모업체에서는 이 비용을 감당하기 어렵다. ㈜주은은 홈쇼핑 벤더로서 ODM_{Original Development Manufacturing, 제조업자 개발생산} 방식으로 상품을 제조한다. ㈜주은의 경우 롯데홈쇼핑에서 정부가 지원하는 영상지원 사업에 대해 안내해주고 지원을 받을 수 있게끔 도움을 주었다. 이러한 정부지원은 중소협력업체에 단비와 같은 일이지만, 사실 ㈜주은 같은 업체는 다양한 정부지원 사업에서 배제되는 경우가 많다. 정부지원 사업에서는 지원 대상자 선정이 제조업 기반이기 때문에 ㈜주은처럼 홈쇼핑벤더 업체는 선정되기가 매우 어려운 구조이기 때문이다. 이에 업계에서는 현실을 반영하는 정부지원 정책이 필요하다고 말한다.

중소협력업체를 해외진출로 이끄는 롯데홈쇼핑의 경우 실질적인 이익이 거의 없기 때문에 장기적인 투자 동인이 부족하다. 롯데홈쇼핑은 수출액의 5%를 수익으로 갖는데, 수출물량이 많지 않다 보니 실질적인 이익 창출은 어렵다고 할 수 있다. 그럼에도 불구하고 동반성장을 위해 중소협력업체의 판로개척 지원 등을 위해 노력한다고 할 수 있다.

리우앤컴과
CJ오쇼핑

| 기업 소개 |

CJ오쇼핑은 중국을 시작으로 인도, 베트남, 태국, 필리핀, 멕시코, 말레이시아에 합작기업 형태로 진출해 있다. 2004년 중국 상하이에 상하이 미디어 그룹 Shanghai Media Group과 합작해 동방CJ를 설립하면서 처음으로 해외시장에 진출했다. 진출 초기에는 해외 취급액이 연간 200억 원에도 미치지 못했으나 방송 3년 만인 2006년에는 흑자로 돌아서서 2011년에는 1조 원으로 50배나 증가하였다. 2014년은 1조 9,430억 원으로 2조 원에 육박했고, 지난해에는 2조 735억 원으로 2조 원을 넘어서며, 아시아 1위 온라인 유통기업으로 자리매김하고 있다[10][11]. CJ오쇼핑은 '쇼퍼테인먼트'로 불리는 한국형 홈쇼핑 방송 노하우를 바탕으로 다양한 한국상품을 해외시장에 선보이며 홈쇼핑 한류를 이끌고 있을 뿐만 아니라, 우수한 한국 중소기업 상품을 글로벌 홈쇼핑 네트워크를 통해 선보임으로써 중소기업들의 해외시장 진출을 지원하고 있다[12].

CJ오쇼핑은 한국상품의 해외진출 및 공급을 위해 2008년 상하이에 상품 소싱과 공급 전문 자회사인 CJ IMCInternational Merchandising Company를 설립하고, CJ오쇼핑이 홈쇼핑 사업을 하고 있는 지역에 CJ오쇼핑이 개발한 이미용 브랜드 'SEP', 언더웨어 브랜드 '피델리아', 생활 주방용품 'ilo'와 중소기업 제품 '해피콜', '홈파워', '입큰' 등 경쟁력 있는 한국상품을 소개하고 안정적으로 공급하고 있다[5]. CJ IMC는 일부 지역에 대해 브랜드 총판사업을 운영할 뿐만 아니라, 한국무역협회KITA가 선정하는 '글로벌 빅바이어 클럽'에 위촉되어 중소기업 상품 수출 상담회와 세미나를 진행하고 중소기업이 해외진출 시 대면하게 되는 계약 · 통관 · 물류 등의 절차를 돕고 있다.

리우앤컴㈜는 홈쇼핑벤더 업체로 상품, 브랜드를 기획하여 OEM^{Original} _{Equipment Manufacturing, 주문자 생산방식}을 통해 제조한 상품을 홈쇼핑 기업에 제공하는 에이전시 역할을 하는 전문무역상사로 직원이 7명인 소규모 기업이다. 리우앤 컴㈜는 2010년부터 CJ오쇼핑과 해외 동반진출을 시작하여, 현재 중국 및 인도 등을 포함하여 7개국에 진출해 있다. CJ오쇼핑과의 해외 동반진출 제품은 샴푸 형 염색제인 '리체나'이다. 리체나는 중소기업인 ㈜세화P&C가 제조한 것을 전 문무역상사인 리우앤컴㈜가 마케팅하여 국내판매를 비롯하여 해외에까지 수 출하고 있다.

▨ **사진 3. CJ오쇼핑의 말레이시아 방송**[12]

표 3. 리우앤컴㈜과 CJ오쇼핑 기업 개요

구분	수탁기업	위탁기업
업체명	리우앤컴주식회사	(주)씨제이오쇼핑
설립 연도	2004년 4월 19일	1994년 12월
대표자	윤성용	허민회
사업 분야	홈쇼핑 벤더, 수출(염색제), 특판, 일반유통	TV홈쇼핑, 인터넷쇼핑몰 운영
소재지	경기도 성남시 분당구 수내동 황새울로 234	서울특별시 서초구 과천대로 870-13
해외 동반진출 시작 연도	2010년	2004년
진출 국가	중국, 인도, 베트남, 태국, 필리핀, 멕시코	중국, 인도, 베트남, 태국, 필리핀, 멕시코, 말레이시아

| 해외 동반진출을 위한 상생협력 |

리우앤컴㈜는 2008년도 CJ오쇼핑과 국내에서 제품을 런칭한 후 2010년부터 5년 동안 CJ오쇼핑과 함께 성공적으로 해외시장에 진출했다. 중소기업의 경우, 해외시장 정보 및 경험, 자원이 부족하여 해외진출 시 시장 정보 획득과 판로개척에 많은 어려움을 겪게 되는데, CJ오쇼핑은 TV홈쇼핑 해외플랫폼을 활용하여 국내 중소기업의 해외진출을 지원하고 있다[10]. 중소협력사 상품을 매입 또는 위탁하여 협력사 상품을 글로벌 홈쇼핑 채널에 공급하고, 방송을 기획하고, 프로모션 전략을 수립하고, 실행 상품의 흐름을 파악하고, 수출, 통관, 물류 등 무역실무를 지원하는 등의 프로그램도 제공한다. 2014년 한국무역협회[KITA]가 선정하는 '글로벌 빅바이어 클럽'에 위촉되어 활동 중이며, 동반성장위원회, 무역협회, 중소기업청, KOTRA 등 기관과 협력하여 중소기업 해외진출 지원을 위한 해외시장 정보 제공, 수출 자문, 상품기획 및 현지 프로모션 지원, 시장개척단 파견 등 다양한 마케팅 지원활동을 하고 있다.

　CJ오쇼핑은 2004년부터 축적해온 해외사업 경험을 바탕으로 진출 국가의 경제상황, 소비성향 등 시장 정보를 고려하여 현지 수요가 있는 국내 중소기업 상품을 매칭시켜 현지 시장 진출 및 업무를 지원하는 '원스톱 솔루션'을 제공하고 있다[8]. 한류의 확산과 함께 K뷰티의 인기로 2016년에는 8개국의 온 · 오프라인 유통 채널에서 약 150억 원의 한국 이미용품을 판매했으며, 베트남에서도 한류의 영향으로 화장품, 패션 상품 수요가 증가하고 있다. 2015년부터 CJ오쇼핑이 ㈜휴롬, ㈜PN풍년, ㈜해피콜, ㈜송학, 리우앤컴㈜ 등 국내 14개 중소기업과 멕시코 · 남미 지역 총판 계약을 체결하고 중남미 시장에서의 매출을 늘려가고 있다[13].

■ 그림 1. CJ IMC 해외판로 지원 프로세스[10]

| 동반진출 과정 |

리우앤컴㈜는 이미용품을 취급하는 홈쇼핑 벤더로 2005년 CJ오쇼핑에 삼푸형 염색제 '리체나'를 성공적으로 런칭한 후 5년 동안 꾸준히 CJ오쇼핑 화장품 분야에서 5~10위의 매출을 기록했다. 2010년 중국을 시작으로 인도, 베트남, 태국, 필리핀, 멕시코 6개국에 CJ오쇼핑과 해외 동반진출을 하게 되었다. 리우앤컴㈜의 윤성용 대표는 2008년도에 처음 해외진출 제안을 받았으나, 염색제의 경우 제품 성격상 발생할 수 있는 두피부작용 등의 대처 및 사후관리를 위해 현지에 고객지원팀, 고객만족팀 등을 두는 문제도 있고, 당시 기업 규모가 작아 국내 영업으로도 벅찬 상황이라 수출을 주저했다고 한다. 그러다 CJ오쇼핑의 설득으로 2010년 CJ오쇼핑의 글로벌 소싱 자회사 중국 CJ IMC를 통해 리체나를 현지 홈쇼핑에 런칭하며 해외진출을 시작하게 되었다고 한다. CJ IMC는 제품 직매입 방식으로 완사입하므로, 수출부터 현지 홈쇼핑 방송, 사후관리에 이르기까지 전 과정을 CJ에서 담당하여 리우앤컴㈜과 같은 중소기업의 입장에서는 해외시장에 진출하는 데 위험부담이 적다.

[인터뷰]

"처음에는 고객만족팀, 지원팀 등의 문제로 해외진출 제안을 사양했어요. 국내 영업하기에도 바쁘다, 해외까지 신경 쓸 틈이 없다고 얘기했지요. 그랬더니 CJ 측에서, '해외에 CJ IMC라는 조직이 있어 모든 절차를 담당해준다. 직사업을 해서 진행하므로 제품만 보내주면 신경 안 써도 된다'라고 하더라고요. 그런데 정말 그게 맞았어요. CJ 같은 경우에는 IMC라는 전문업체, 선수들이 있기 때문에 좀 안심이 됩니다."

리우앤컴㈜ 대표

해외진출 후 리우앤컴㈜은 수동적으로 주문받은 제품을 제공하는 데 그치지 않고 적극적으로 CJ오쇼핑 시장개척단을 통한 현지 방문으로 시장 정보를 획득하고, CJ오쇼핑과 함께 아이디어 공유를 함으로써 새로운 시장에 진출하기도 했다.

[인터뷰]

"CJ 시장개척단하고 인도 뭄바이를 갔는데, 기본적으로 인도 여성들의 모발은 되게 두껍고, 웨이브 져서 사자머리 같은 모발이 많더라고요. 뜨거운 햇볕에 손상도 되어 있고…. 그래서 CJ 인도 법인장한테 모발 손상 관련된 제품이나 스트레이트 제품이 필요하겠다고 얘기를 한 적이 있어요. 제가 그런 얘기를 하니까 CJ에서도 저한테 관련 정보를 주고 현지에 맞는 제품을 요청하기도 했죠. 그게 가장 좋은 케이스예요. 그냥 밑에 있는 직원을 통해서 서류로 왔다 갔다 하는 건 의미가 없어요."

리우앤컴㈜ 대표

CJ오쇼핑은 해외 동반진출 시 글로벌 네트워크를 통한 유통 플랫폼을 제공하고, 이러한 플랫폼을 통해 해외 지역에 진출한 소비재 중소협력업체는 콘텐츠를 제공한다. 또한 CJ오쇼핑은 중소기업과의 해외 동반성장을 지원하기 위해 CSVCreating Shared Value, 공유가치창출 팀을 별도로 구성하여 동반성장위원회, 중소기업청, KOTRA 등 정부기관과 연계하여 해외시장 개척단 파견, 박람회 참가 및 수출 상담 세미나 등을 통해 중소기업에 해외시장 정보를 제공하고 무역통관 등 수출과 관련된 자문을 제공한다. 또 인서트 영상 제작이나 번역에 도움을 주는 등 다양한 프로그램으로 중소기업의 해외시장 진출을 지원한다. 이처럼 CJ오쇼핑은 홈쇼핑 플랫폼과 중소협력업체의 동반성장을 목표로 국내 중소기업을 보호·육성하고, 해외판로를 개척하는 데 도움을 주고 있다. CJ는 브랜드 영향력이 있는 일부 제품에 대해 현지 시장의 총판계약을 맺고 장기적인 협력관계를 유지한다. 이때 홈쇼핑업체는 마케팅을 담당하고, 중소협력업체는 기획 및 생산을 통해 현지에 판매될 제품을 제공한다. 그러나 계약상 합의한 매출액을 미달성할 시에는 계약이 자동 파기된다.

[인터뷰]

"자사가 플랫폼으로서 해외에 진출하고 콘텐츠로서 중소기업과 협력하는 모델로, 플랫폼과 중소기업이 모두 성장을 하는, 어쨌든 직접 수출이든 간접 수출이든 그 브랜드가 해외로 나가는 데 교두보가 되는 역할을 하는 그런 모델입니다."

CJ오쇼핑 CSV 경영팀 팀장

▨ 사진 4. 민관 협력을 통한 CJ오쇼핑의 중소기업 해외판로 지원[10][14]

| 동반진출 혜택 및 성과 |

롯데홈쇼핑과 마찬가지로 해외 동반진출은 CJ오쇼핑의 수출을 증가시키기는 하나, 영업이익 측면에서는 실질적인 혜택을 보지 못하고 있다. 그보다는 경쟁력 있는 중소기업을 발굴하고, 해외시장 확장을 위한 제품 풀의 증대와 소싱·머천다이징 역량 증대에 의의가 있다. 또한 CJ오쇼핑은 CSV경영팀 등을 따로 둘 정도로 중소기업과의 동반성장에 관심이 높으며, 국내 홈쇼핑 기업 중 선도적으로 동반 해외진출을 지원하고 있다. CJ오쇼핑 CSV경영팀 팀장에 따르면 중소기업과의 해외 동반진출은 당장의 단기적 이익 증대보다는 다양한 지원을 통해 중소기업의 해외시장 정보 획득, 해외판로 개척을 지원하고 경쟁력 증진에 기여하는 데 그 목적이 있다고 한다. 또한 중소기업과의 상생을 통한 CJ의 사회적 책임 이행 및 동반성장지수 관리라는 성과도 있다고 한다.

[인터뷰]

"좋은 제품을 다양하게 갖추는 게 핵심역량, 즉 기업의 경쟁력이기 때문에 그게 매우 중요한 요소입니다. 사회적으로도 그 소스가 대기업에서만 나오면 구조적으로 건전한 형태가 아닌지라 중소기업이 CJ오쇼핑과 같이 성장하고 있는지에 중점을 두는 거죠."

CJ오쇼핑 CSV경영팀 팀장

현시점에서 동반진출의 직접적인 혜택은 리우앤컴㈜과 같은 중소협력업체에 있다고 볼 수 있다. 리우앤컴㈜의 경우 염색제 수출 시 필요한 해외 현지 고객지원팀, 고객상담실 등의 자체적 운영에 어려움이 있어 독자적 해외진출이 쉽지 않았다. 리우앤컴㈜는 CJ오쇼핑의 시장개척단 프로그램을 통해 현지 시장의 정보 획득과 홈쇼핑 담당자와의 교류를 통해 현지 시장에 적합한 제품에 대한 정보를 획득하고, CJ오쇼핑의 해외 유통 네트워크와 자원을 활용하여 해외판로를 개척하고 수출을 증대시킬 수 있었다. ㈜주은의 경우와 마찬가지로 리우앤컴㈜과 CJ오쇼핑의 협력관계에서 가장 중요한 요인은 매출과 신뢰이다. 홈쇼핑업체와의 파트너십 유지를 위해서는 상품에 대한 고민을 바탕으로 판매량을 극대화할 수 있는 노력과 정보 공유를 바탕으로 서로 간의 신뢰를 구축하여야 한다. 이러한 노력을 통해 매출 증대가 가능하고, 유통 플랫폼인 홈쇼핑업체와 상품 공급업자인 중소협력업체 간의 진정한 동반성장, 즉 win-win이 가능할 것이다.

| 동반진출의 어려움 |

동반진출 시 중소업체가 겪는 어려움 중 하나는 비용 문제이다. 리우앤컴㈜는 OEM 방식으로 ㈜세화P&C를 통해 염색제를 제조하고 CJ오쇼핑 채널에 공급한다. 염색제의 경우 사람의 두피에 직접 닿는 제품이기 때문에 제품 인증 절차가 까다롭다. 인증과 관련된 권리 및 비용 문제가 발생하는데, 이에 대해서 CJ는 가이드라인을 제공해주긴 하지만 인증은 중소업체가 직접 해결해야 하는 문제이므로 비용의 부담이 상당하다. 또한 동반진출한 국가 대부분이 한국보다 경제수준이 낮은 나라이므로 현지 판매가격에 맞추기 위해 단가를 인하해야 하는데, 현시점에서는 대량 판매가 쉽지 않으므로 적정 단가를 맞추는 데 어려움이 있다. 이 밖에도 해외진출 시 겪는 번역 및 커뮤니케이션의 어려움뿐만 아니라 사드와 같은 문제로 인한 시장 위축, 위생허가 강화 등 변수가 발생할 경우 수출이 위축될 수 있다. 리우앤컴㈜는 CJ를 포함한 국내 홈쇼핑과 해외진출 이후 대기업, 공무원 등 협력기관 및 업체 담당자의 잦은 교체로 업무의 연속성이 떨어져 애로사항이 있다고 한다. 리우앤컴㈜ 대표는 담당자의 잦은 교체는 충분히 이해하나 매뉴얼이 있어 협력업체 업무가 연속성 있게 이루어지기를 희망한다고 하였다. 마지막으로 정부 프로그램의 지원기업 선정 문제이다. 리우앤컴㈜과 같은 홈쇼핑 벤더는 해외진출 시 협력업체를 통해 제조한 제품을 직사입하여 홈쇼핑 채널에 공급한다. 그런데 인서트 영상 제작 지원을 받고자 할 때, 제조업체로 분류되어 있지 않아 지원에서 제외되는 어려움이 있다고 한다. 실제로 홈쇼핑의 경우 에이전시나 벤더를 통해 해외진출 제품을 사입하는 경우가 많으므로 이 부분에 대한 정부의 정책적 고려가 필요하다.

롯데홈쇼핑과 마찬가지로 CJ오쇼핑도 중소기업과의 동반진출로 인한 실질적인 이익창출이 어려움에도 불구하고 사회공헌의 목적으로 중소기업의 해외시장 진출을 위해 다양한 노력을 기울이고 있다. 그러나 정부의 동반성장지수 평가 시 홈쇼핑업체의 특성이 반영되지 않아 불리한 면이 있다고 한다. 제조업의 경우 부품 생산 협력업체와 공동 제품개발, 이익 공유 등의 개념이 적용·가능하나, 이 개념은 유통 채널을 제공하는 홈쇼핑 기업과 완제품을 제공하는 제조 협력업체와의 관계에서는 적용하기 어렵다. 그런데도 동반성장지수 평가 시 이에 대한 고려가 부족한 것은 개선이 필요한 부분이다. 또한 진출 국가의 경제적 수준에 맞는 단가에 제품을 제공해야 하기에 수출 이익이 크지 않아 경쟁력 있는 제품을 제공할 동반진출 중소협력업체를 찾기가 어려운 것도 문제이다.

상생적 글로벌 파트너십을 위한 제언

대기업과 중소기업의 균형발전이 중요한 이슈가 되는 지금, 홈쇼핑업체와 중소협력업체의 상생적 글로벌 파트너십은 대·중소기업 간의 균형발전에 중요한 역할을 하고 있다. 홈쇼핑업체는 국내 중소기업의 해외판로 개척에 힘쓰며, 중소기업은 우수한 제품을 제공하여 홈쇼핑업체의 해외진출을 돕는다. 그러나 해외 동반진출의 역사가 그리 길지 않기 때문에 상생을 위해서는 다듬어야 할 부분이 존재한다. 서로에게 도움이 될 상생적 글로벌 파트너십을 위해서 다음과 같이 제언하고자 한다.

첫째, 해외시장개척단과 같은 정부지원 서비스에 홈쇼핑업체를 비롯한 유통대기업의 적극적인 참여 독려가 필요하다. 정부 주관하에 이루어지는 서비스에서는 중소협력업체를 모집하고 해외 바이어 매칭이 주를 이루는데 유통대기업이 참여할 경우 현지에 맞는 정보, 즉 디자인, 가격, 패키지 구성 등 현지에 맞는 상품화 정보를 중소기업이 제공받을 수 있고 체재비 지원과 같은 실질적인 혜택도 받을 수 있으므로 유통대기업의 적극적인 참여를 도모해야 한다.

둘째, 홈쇼핑업체가 소비재 중소협력업체에 무역 관련 교육, 정부사업 및 해외시장에 대한 정보제공 등을 제공할 수 있으므로 홈쇼핑업체의 역할을 부각시켜야 한다. 홈쇼핑 업체는 중소기업에 인증이나 무역 통관절차에 대한 지식을 제공하거나 정부사업에 대한 정보를 전달하는 중요한 역할을 한다. 그렇지만 단기간에 눈에 보이는 이익을 낼 수 없기 때문에 해외 동반진출에 대한 홈쇼핑업체의 동기부여가 낮을 수 있다. 궁극적으로 중소협력업체와 홈쇼핑업체가 동반 성장할 수 있음을 강조하고, 홈쇼핑업체의 역할을 강조할 필요가 있다. 이를 위해서는 동반성장지수 평가 방식의 수정이 필요하다. 유통업 구조에 대한 이해를 바탕으로 평가될 수 있도록 개선해야 한다.

셋째, 중소협력업체에 대한 정부의 지원을 확대하고 이에 대한 전문성 제고가 필요하다. 특히 홈쇼핑 벤더 같은 소규모 유통업체에 대한 지원 확대가 필요하다. 중소 제조업체의 경우 브랜드 인지도가 부족하고, 마케팅이나 상품기획 역량이 부족하여 홈쇼핑 진입이 어렵다. 그렇지만 능력 있는 홈쇼핑 벤더가 제조업체를 도와 홈쇼핑을 통한 국내외 판로개척의 기회를 제공해줄 수 있기 때문에 이러한 홈쇼핑 벤더에 대한 지원이 필요하다. 제조업체가 아니라는 이유로 배제하는 것이 아니라 이들에게 맞춤화된 지원이 필요한 것이다. 또한 인서트 영상 제작비 지원을 확대하고 홈쇼핑 영상을 전문적으로 제작할 수 있는 프로덕션 업체를 선정할 필요가 있다. 해외진출 시 인서트 영상은 광고이자 중요한 홍보 수단으로, 국가마다 다른 영상이 필요할 때도 있다. 따라서 중소협력업체에 실질적인 도움이 될 수 있는 전문업체를 선정해서 이를 통해 지원할 필요가 있다.

넷째, 홈쇼핑업체와 해외 동반진출을 위한 국내 박람회가 활성화되어야 한다. 해외 동반진출에 대한 홈쇼핑 기업의 높은 관심과는 별개로 협력업체를 발굴하는 데 어려움이 존재한다. 그리고 브랜드 인지도가 낮은 신생 중소기업이 홈쇼핑에 진입하는 것은 매우 어렵다. 따라서 신생 중소기업이 홈쇼핑 기업과 해외 동반진출의 기회를 제고하기 위해 박람회와 같은 자리를 활성화할 필요가 있다. 이와 더불어 롯데홈쇼핑에서 온라인 수출사이트를 개설한 것처럼 해외 바이어가 국내 중소협력업체의 제품을 좀 더 쉽게 접할 수 있도록 다방면으로 채널을 활성화할 필요가 있다. 박람회는 시간과 공간, 비용의 제약이 있지만, 온라인 사이트는 이와 같은 제약이 없다. 따라서 온라인을 통한 제품 박람회를 활성화할 필요가 있을 것이다.

문두철(연세대학교 교수)

변정윤 · 최병철(연세대학교 박사과정)

기업의 CSR 활동이 기업의 성과와 가치, 자본비용,

회계투명성에 어떠한 영향을 미치는지 분석해보고,

국내 중소기업의 CSR 유인에 대해서도 살펴본다.

한국 대기업과 중소기업의 CSR과 지속가능성

과거에는 기업에 주주와 종업원의 경제적 책임에 대해서만 강조해왔으나, 오늘날 기업은 소비자, 협력회사, 지역사회, 시민단체 등 다양한 집단을 포함하는 이해관계자들과 끊임없이 소통하며 협력적 관계를 형성해나가야 한다. 기업은 본래 다양한 주체들로 구성된 사회 속에 존재하고, 이들을 둘러싼 다양한 이해관계자들의 지속가능성이 전제되어야 기업 활동을 영위해나갈 수 있기 때문이다. 이에 많은 글로벌 기업과 국내 대기업은 환경보호, 협력회사와의 동반성장, 지역사회의 삶의 질 제고 등 다방면에서 CSRCorporate Social Responsibility, 기업의 사회적 책임을 수행하고 있다. 또한, 최근에는 기업의 공급망supply chain에 대한 CSR 활동이 중요해지면서 중소기업에 대한 CSR 요구도 점차 높아지고 있는 추세이다.[1] 이에 국내 대기업과 중소기업의 CSR 현황, 중소기업의 CSR 활동 유인, 중소기업의 CSR 활동 방향에 대해 살펴보고자 한다.

---

1 공급망 CSR은 대기업이 협력회사에 자사와 같은 수준의 윤리기준을 준수할 것을 요구하는 것을 의미한다[1].

기업의 CSR
개요 및 현황

| CSR 개요 |

CSR에 대한 정의는 학자, 단체마다 다르나, 공통적으로 기업이 이익을 창출한다는 기존의 경제적 책임의 범위를 넘어서 기업을 둘러싼 다양한 이해관계자와 지역사회, 환경 등에 대한 책임감을 가지고 기업 활동을 수행하는 것을 의미한다. [2] 최근에는 기존의 CSR 개념에서 더 나아가 기업들이 CSR 활동을 지속가능 경영을 위한 새로운 성장전략으로 인지하고 있다. 이에 다양한 이해관계자의 요구에 단순히 부응하는 것에서 그치는 것이 아니라 경제적 · 사회적 · 환경적 리스크를 사전적으로 관리함으로써 기업의 중장기적인 가치를 높이는 데초점을 맞추고 있다[2].

CSR의 중요성은 1990년대 후반 국제기구에서부터 논의되기 시작하였다. 1999년 스위스 다보스에서 열린 세계경제포럼WEF에서 코피 아난Kofi Annan 유엔사무총장이 인권, 노동, 환경, 부패 문제 개선에 기업들이 동참해줄 것을 호소한 것을 계기로 2000년 7월 유엔글로벌콤팩트UGC가 창설되었고, 전 세계의 많은 회원 기업들이 UGC의 10대 원칙에 따라 기업을 경영하고 있다(표 1). 또한 2010년의 국제표준화기구ISO에서 제정한 사회적 책임에 대한 표준 이행 지침인 ISO26000과 2015년 전 세계 193개국의 인준을 받은 유엔의 지속가능발전

---

2 주요 국제기구의 CSR에 대한 정의를 살펴보면 다음과 같다. 경제협력개발기구(OECD)는 기업과 사회와의 공생관계를 성숙시키고 발전시키기 위해 기업이 취하는 행동으로 정의하고 있으며, 세계지속가능발전기업협의회(WBCSD)는 직원, 가족, 지역, 및 사회 전체와 협력해 지속가능한 발전에 기여하고 이들의 삶의 질을 향상시키고자 하는 기업의 의지로 정의하고 있다. 유럽연합집행위원회(European Commission)는 기업 스스로가 자신의 사업 활동을 할 때나 이해관계자와의 상호관계에서 자발적으로 사회적 또는 환경적인 요소들을 함께 고려하는 것으로 정의하고 있다.

목표SDGs의 선포는 각국의 정부뿐만 아니라 소비자, 시민단체 등 사회 구성원들의 CSR에 대한 관심을 높이고 있다(그림 1).

표 1. UGC의 10대 원칙

인권	원칙 1	기업은 국제적으로 선언된 인권 보호를 지지하고 존중해야 하고,
	원칙 2	기업은 인권 침해에 연루되지 않도록 적극적으로 노력한다.
노동	원칙 3	기업은 결사의 자유와 단체교섭권의 실질적인 인정을 지지하고,
	원칙 4	모든 형태의 강제노동을 배제하며,
	원칙 5	아동의 노동을 효율적으로 철폐하고,
	원칙 6	고용 및 업무에서 차별을 철폐한다.
환경	원칙 7	기업은 환경문제에 대한 예방적 접근을 지지하고,
	원칙 8	환경적 책임을 증진하는 조치를 수행하며,
	원칙 9	환경친화적 기술의 개발과 확산을 촉진한다.
반부패	원칙 10	기업은 부당취득 및 뇌물 등을 포함하는 모든 형태의 부패에 반대한다.

UGC 한국협회 홈페이지

그림 1. SDGs의 17개 목표

지속가능발전 포털 홈페이지

이처럼 CSR에 대한 사회적 관심이 꾸준히 증가하자 기업가치 평가에 있어서도 환경, 사회, 지배구조Environmental, Social, Governance, ESG[3]와 관련한 비재무적 요소의 평가 비중이 높아지고, 사회책임투자SRI, Socially Responsible Investment와 같이 사회적 책임활동을 적극적으로 수행하는 기업에 투자가 증가하면서 CSR 활동은 기업의 지속가능한 경영에 필수요소가 되었다.[4] 국내 기업들도 변화하는 글로벌 경영환경에 맞춰 과거보다 적극적인 CSR 활동을 펼치고 있으며, 기업의 CSR 성과를 담은 지속가능경영보고서도 발간하고 있으나, 현재까지는 주로 대기업이 CSR 활동의 주축이 되고 있으며 대기업과 중소기업 간의 CSR 이행 수준은 크게 차이가 나는 것으로 나타난다.

| 대기업과 중소기업의 CSR 현황 |

대기업과 중소기업 간의 CSR 활동 수준에 큰 차이가 나는 이유는 CSR 수행에 필요한 인적·물적 자원이 중소기업보다는 대기업에 상대적으로 많고 CSR 활동을 통해 얻는 마케팅 효과도 훨씬 크기 때문이다[3]. 또한 CSR 경영에 대한 인지 수준에서도 차이를 보이는데, 2017 중소기업실태조사 결과에 따르면, 중소제조업에 속한 기업 중 사회적 책임 경영을 도입하고 있는 기업은 5.1%에 불과하며, 70%가 사회적 책임 경영에 대해 전혀 인지하지 못하고 있는 것으로 나타났다[4]. 또한 유가증권 시장에 상장된 710개의 기업을 대상으로 한 ESG 평

---

3 ESG는 유엔사회책임투자원칙(UN Principles for Responsible Investment, UN PRI)에서 투자의사결정 시 고려하도록 하는 핵심요소이다. 투명한 지배구조로 건전성을 높이고, 기업이 환경과 사회에 미치는 영향을 분석하고 긍정적인 영향을 이끌어내 기업이 장기적인 지속가능한 성장을 이루도록 하기 위함이다(https://www.unpri.org).

4 글로벌지속가능투자연합(GSIA)에 의하면 2016년도 기준 전 세계 사회책임투자의 규모는 약 22조 8,910억 달러이며, 이는 전 세계 운용 자산의 약 26%를 차지하는 수준이다. 2014년도의 사회책임투자 규모는 약 18조 2,760억 달러로, 2014년도 대비 약 25% 증가한 규모이다.

가에서도 중소기업의 각 분야에 대한 점수는 대기업보다 낮았고, 중소기업의 평균 점수는 전체 기업의 평균 점수에도 미치지 못하는 것으로 나타났다.[5] CSR 활동 성과가 담긴 국내 기업들의 지속가능경영보고서의 경우에도 대기업에서 발간된 것이 대부분이고 중소기업의 참여는 미미한 것으로 나타났다.[6]

　그러나 전 세계적으로 기업의 사회적 책임 경영의 중요성이 높아지고 있으며, CSR 활동이 기업의 경쟁력을 높일 수 있는 새로운 성장전략으로 주목받고 있는 시점에서 중소기업의 CSR 경영에 대한 요구는 더욱 커질 것으로 전망된다. 특히 중소기업의 상당수가 대기업과 다국적 기업의 공급사슬로 얽혀 있는 협력회사이므로 중소기업에 대한 글로벌 기업과 대기업의 CSR 요구 수준은 더욱 높아질 것이다.

CSR과
기업 경영활동

　과거에는 기업의 성과가 기업의 재무적 활동에서 기인한다고 보았다. 그러나 다양한 사회문제에 대한 기업의 사회적 책임 요구가 커지면서 CSR에 대한 관심은 계속해서 증가하고 있고, 이에 비재무적 기업 활동인 CSR이 기업의 경영활동에 어떠한 영향을 미칠 수 있는지에 대해 많은 연구가 진행되었다. 국내에서는 주로 기업성과, 자본비용, 회계투명성에 초점을 맞춰 CSR의 효과를 연구

5　한국기업지배구조원은 2012년도 유가증권시장에 상장된 710개의 기업을 대상으로 ESG 평가를 수행하였다. 각 분야별로 300점 만점에 중소기업의 환경, 사회, 지배구조 점수는 각각 87.4점, 62.8점, 89.6점이며 대기업은 각각 121.9점, 121.0점, 122.7점이다. 전체 기업 평균은 104.3점, 90.8점, 106.3점이다[5].

6　지속가능경영원에 따르면, 2016년에 국내 기업에서 발간한 81개의 보고서 중에서 70개는 대기업에서, 11개는 중견·중소기업에서 발간된 것으로 나타났다.[6]

해왔다. CSR의 성과 측정은 경제정의실천시민연합 산하 경제정의연구소에서 1991년부터 매년 발표하는 KEJI 지수Korea Economic Justice Institute Index를 주로 활용하고 있다. 경제정의연구소에서는 매년 유가증권시장 상장기업을 대상으로 기업의 성과를 6개의 세부 영역, 즉 건전성, 공정성, 사회공헌도, 소비자보호, 환경경영, 직원만족으로 구분하여 KEJI 지수를 산출하며, 이를 바탕으로 상위 200개 기업을 선정하여 발표한다[7].[7]

| 기업성과와 기업가치 |

국내 연구에서는 대부분 기업의 성과를 자산이익률ROA, Return on Asset과 자기자본이익률ROE, Return on Equity로 측정하고 있으며, 기업가치는 시장가치 대비 장부가 비율, 토빈의 Q, 누적초과수익률 등으로 측정하고 있다. 선행연구에 따르면 기업의 CSR 활동은 기업의 성과와 기업가치 제고에 긍정적으로 작용하는 것으로 나타나고 있다[8][9][10]. 즉, CSR을 수행하는 기업들은 그렇지 않은 기업들에 비해 재무 성과가 높으며 장기적인 기업가치 제고에도 도움이 되는 것으로 나타난다. 최근에는 CSR 수행 여부뿐만 아니라 기업의 특성에 따라 CSR 효과가 기업의 성과에 차별적인 영향을 미치는지에 대한 연구도 진행되고 있는데 산업 내 경쟁 정도나 기업의 이익조정 정도, CSR의 지속성 등 다양한 측면에서 기업성과에 대한 CSR 효과를 살펴보고 있다[11][12].

---

7 평가대상이 되는 유가증권 시장 상장 기업 중 3개년 순이익 적자, 자본잠식, 이자보상배율 1 미만, 합병, 결산기 변경, 신규상장, 관리 및 자료 미제출 등의 사유에 해당되는 기업은 제외한다.

| 자본비용 |

자본비용은 기업이 조달한 자금에 대한 대가로 투자자 입장에서는 자금 투자에 대한 요구수익률이 된다. 기업이 자본을 어떻게 조달해오는지에 따라 자본비용은 자기자본비용과 타인자본비용으로 나뉜다. 자기자본비용은 보통 주주가 요구하는 기대수익률을 의미하고, 타인자본비용은 부채에 대한 이자율을 의미한다. 선행연구에 따르면 기업과 투자자 간의 정보비대칭은 자본비용을 증가시키는 것으로 알려져 왔다[13][14][15]. 이에 기업은 둘 사이에 존재하는 정보비대칭을 줄이기 위하여 기업의 현황과 미래 전망에 대한 재무 정보를 시장에 공시해왔으나 최근 들어 비재무적 정보인 CSR 활동 정보 또한 자본비용을 감소시킨다는 연구결과가 발표되고 있다[16][17][18][19]. 연구결과에 따르면 CSR 활동이 우수한 기업에 대한 자기자본비용이 낮은 것으로 나타나고 있으며 이는 투자자들의 위험 프리미엄이 상대적으로 낮기 때문인 것으로 해석된다[18][19]. 자기자본비용뿐만 아니라 타인자본비용의 경우에도 CSR 활동이 우수한 기업에서 타인자본비용 부담이 더욱 낮은 것으로 나타났다[16][17].

| 회계투명성 |

기업이 법적·윤리적 책임을 준수하고 회계적으로 투명한지에 대한 소비자들의 관심이 높아지면서 많은 연구들이 CSR과 기업의 회계투명성 간의 관계를 검증해왔다[7][20]. 연구결과에 따르면 CSR을 하는 기업이 그렇지 않은 기업보다 재량적 발생액[8]으로 측정한 이익조정을 적게 하는 반면, 이익의 지속성[9]은 더욱 높은 것으로 나타났다. 이러한 관계는 CSR을 연속적으로 실시하는 기업에서 더욱 강하게 나타났다[7]. 또한 CSR 활동이 장기적 차원에서의 경영성과를 고려하는 의사결정이라는 점에서 기업의 실질적 경영활동인 영업, 투자, 재무 활동의 자원배분 의사결정을 변경하는 실제 이익 조정도 감소하는 것으로 나타났다[20]. 이러한 연구결과는 기업의 CSR 활동에 대한 가치 및 윤리의식이 경영자의 재무보고 의사결정에도 영향을 미치고, 더 나아가 회계투명성을 추구하는 조직의 가치와 신념에도 영향을 미칠 수 있음을 보여주고 있다.

| 중소기업의 CSR과 기업성과 |

그동안 기업의 CSR 활동에 대한 연구는 대부분 대기업을 대상으로 진행되어왔으며 중소기업의 CSR 연구는 아직 많이 부족한 상황이다. 이는 CSR에 대한 사회적 관심이 주로 대기업에 초점이 맞춰져 있고 현재 사용되고 있는 CSR 평가지표가 중소기업에는 적합하지 않은 경우가 많아 중소기업 CSR에 대한 정량 평가 자료가 부족하기 때문으로 판단된다. 현재 중소기업의 CSR 관련 연구의 경우 정량 평가 자료를 이용한 연구보다는 설문조사를 중심으로 진행된 연구가 대부분이다[21][22]. 국내 중소기업의 CSR과 기업성과에 대한 연구를 살펴보면 일관된 결과를 제시하지 못하고 있다. 예를 들어, 대구지역 중소기업을 대상으로 실시한 분석에서는 CSR 활동과 기업성과 간의 유의한 상관관계를 발견

---

8 발생액은 당기에 발생한 거래에 따른 이익과 손실을 장부에 반영하여 나타나는 것으로, 영업 활동에 따른 현금의 유출과 유입이 없어도 장부에 반영된다. 그러나 경영자의 이익 조정 동기 등에 의하여 발생액이 상향 또는 하향 조정될 수 있으며 이에 경영자가 재량적으로 조정한 발생액 부분을 재량적 발생액이라고 부른다.

9 이익의 지속성은 당기의 순이익이 미래에도 지속되는 것을 의미한다.

하지 못하였다[21]. 그러나 대전과 충남지역의 중소기업을 대상으로 분석을 수행한 연구에서는 CSR 활동이 매출액, 시장점유율, 순이익 등 기업성과에 긍정적인 영향을 미치는 것으로 나타났다[22]. 그러나 두 연구 모두 설문조사를 통해 수집한 자료를 분석한 것으로 해당 결과를 중소기업 전체로 일반화하기에는 어려울 것이다.

중소기업의 CSR 활동 유인과 활동 방향

| 중소기업 CSR 특징 |

중소기업은 기업의 규모뿐만 아니라 다양한 측면에서 대기업과는 다른 기업 특성을 보인다. 중소기업은 대기업에 비해 인적·물적 자원이 부족하고 소유와 경영이 분리되어 있지 않은 기업이 대다수이다. 또한 국내 대기업이나 다국적 기업의 협력업체로서 공급사슬 관계에 놓여 있는 경우가 많고 시장 인지도가 낮아 위험에 대한 기업의 위험 분산이 상대적으로 어렵다[23][24].

이러한 특성 가운데 중소기업의 CSR 수행을 가장 어렵게 하는 요인은 인적·물적 자원의 부족일 것이다. 실제로 중소기업실태조사 결과에 따르면 우리나라의 중소기업들은 CSR을 수행하는 데 있어 가장 큰 문제로 CSR 도입 및 실천에 대한 예산 및 인력에 있다고 보았다[4].[10] 그러나 CSR에 대한 글로벌 표준이 확대되고 이에 대한 규제가 다양화되면서 중소기업의 CSR은 선택 사항

---

10 사회적 책임 경영을 도입 및 실천하는 데 예산 및 인력 부족(78.7%)이 가장 큰 애로사항인 것으로 나타났으며, 그다음으로 관련 법제도 및 정부지원정책 부족(33.4%), 경영진의 관심 및 의지 부족(25.4%) 순으로 나타났다[4].

이 아닌 필수요소로 자리 잡고 있다. 따라서 지속 가능한 성장을 위한 중소기업의 CSR 활동의 필요성은 계속해서 높아지는 추세이다.

| 중소기업의 CSR 유인 |

CSR 제도화의 움직임 확대

2000년 유엔글로벌콤팩트의 발족을 시작으로 ISO26000의 제정, 유엔 지속가능발전목표 선포 등 국제기구를 중심으로 CSR을 촉구하는 움직임이 잇따르자 각국 정부도 자국 내 사회문제를 해결하기 위해 CSR 확산에 적극적으로 동참하고 있다. 특히 ISO26000은 2010년 ISO에서 개발한 CSR에 대한 국제 표준으로 2012년 말 기준 전 세계 80개국에서 도입하고 있다[3]. ISO26000은 책임성, 투명성, 윤리적 행동, 이해관계자의 이익 존중, 법규 준수, 국제행동 규범 존중, 인권 존중의 7대 원칙을 바탕으로 하고 있다. 또한 ISO26000은 기업이나 조직의 지속가능성에 영향을 미칠 수 있는 핵심 분야, 즉 조직 거버넌스, 인권, 노동 관행, 환경, 공정 운영 관행, 소비자 이슈, 지역사회 참여와 발전 등을 선정하였고 기업의 경영 의사결정 시 핵심 분야를 고려하도록 명시해놓았다. ISO26000은 가이드라인으로서 이를 의무적으로 이행할 필요는 없다. 그러나 전 세계 많은 국가들이 ISO26000의 준수 여부를 중요한 자격 기준으로 간주하고 있고, CSR의 중요성이 계속해서 높아지고 있는 상황 속에서 ISO26000의 이행은 기업의 지속성장을 위한 필수요소로 자리 잡고 있다.

국제기구뿐만 아니라 국가, 시민연대 등 전 세계 많은 조직에서 CSR을 제도화하려는 노력을 하고 있다. RBAResponsible Business Alliance는 전자업계의 글로벌 기업들이 CSR 이슈에 대해 논의하고 체계적인 공동 대응 방안을 마련하고자

2004년에 설립한 연대로, 전 세계 80여 개 회사가 가입되어 있다[25]. *11* RBA는 노동, 환경, 보건, 안전, 윤리경영시스템 등 5개 분야에 대한 행동 규범을 제정하였고 회원 기업은 최소 1차 협력업체에도 이 규범을 따를 것을 요구해야 한다. 또한 유럽연합 EU에서는 RoHS Restriction of Hazardous Substances 나 REACH Registration Evaluation Authorization and Restriction of Chemicals 등을 통하여 인체 유해 물질의 사용을 제한하고, 유럽연합 내에서 제조되거나 수입되는 모든 화학물질에 대한 유해성 등을 평가받도록 의무화하고 있다[26]. 이러한 규제는 대기업뿐만이 아니라 유럽연합 국가에 수출하는 모든 기업에 적용되는 것으로 중소기업의 시장 경쟁력에도 큰 영향을 미치는 요인으로 작용할 수 있다.

전 세계적 CSR 요구의 증가는 인적·물적 자원이 부족한 중소기업에 큰 장벽이 될 수 있다. 이에 중소벤처기업부는 2016년 중소기업의 사회책임경영을 확대하기 위한 '사회책임경영 중소기업 육성 기본계획'을 발표하였다[27]. 기업의 CSR 경영의 신규도입 촉진, 도입 기업들의 CSR 역량 강화, 중소기업에 적합한 CSR 인프라 조성을 목표로 하고 있다.

공급망 CSR의 확산

기업의 아웃소싱 증가와 이에 따른 공급 시장의 확대는 대기업과 다국적 기업의 공급망 CSR 관리에 대한 관심을 증가시키고 있다. 자사와 직접 연관되어 있지 않더라도 협력회사에서 발생한 윤리적 문제들이 자사의 기업가치에도 영향을 미칠 수 있기 때문이다. 1990년대 후반 나이키 협력업체에서 발생한 아동 노동문제에 따른 소비자의 불매운동, 2010년 도요타 자동차의 리콜 사태, 2013년 글로벌 SPA 브랜드의 협력업체들이 입점해 있는 방글라데시 라나플라자 붕

---

11 RBA는 EICC(The Electronic Industry Citizenship Coalition)의 새로운 이름으로 2017년 10월 변경되었다 (http://www.responsiblebusiness.org/news-and-events/news/rebrand/).

괴사고 등은 공급망 CSR 관리 부실에 대한 대표적인 사례로 기업 경영활동에 있어서 협력회사의 윤리기준 준수 여부는 글로벌 기업의 기업가치에도 영향을 미칠 수 있음을 여실히 보여주었다. 이에 글로벌 기업은 협력회사에서 발생하는 CSR 리스크를 자사의 책임으로 인식하고 협력회사에 대한 CSR 요구를 강화하고 있다. 국내 대기업에서도 협력회사 선정 시 선정 대상기업의 준법경영(44.6%), 투명경영(33.1%), 고객존중(15.3%), 사회봉사(6.4%) 실천 등을 협력회사 선정의 우선 요소로 고려하는 것으로 나타났다[28].

다음 사례는 CSR 이행 여부가 중소기업의 납품 거래에 결정적인 요인으로 작용할 수 있음을 보여준다. IBK경제연구소에서 조사한 바에 의하면, 국내의 한 의류 제조기업은 제품 대부분을 미국과 유럽으로 수출하는 기업으로 CSR 관련 인증인 WRAP Worldwide Responsible Accredited Production를 획득, 갱신할 것을 요구받았다. WRAP는 세계 최대 규모의 노동 및 환경 인증으로 의류 및 섬유업계에서 공신력이 매우 높으며 아동 노동 금지, 근로자의 노동시간, 건강, 안전 등과 관련된 12가지 원칙을 바탕으로 하고 있다. 해당 기업은 거래 초기에는 WRAP 인증을 받아 제품을 납품할 수 있었지만 인증을 갱신하지 못하여 거래가 중단되었다. 위의 사례는 중소기업의 CSR 이행이 더 이상 선택사항이 아닌 중요한 생존 수단이라는 것을 보여준다[3].

리스크 관리 및 기업의 지속 가능성 제고

앞서 언급한 것과 같이 글로벌 기업들은 이미 공급망 CSR을 필수적인 요소로 보고 있으며, 이에 전 세계 많은 기업들이 협력회사에 자사와 같은 수준의 윤리기준을 준수할 것을 요구하고 있다[1]. 공급망 CSR로 촉발된 중소기업의 CSR 이행은 중소기업의 CSR 리스크 관리 차원을 넘어 대기업과 중소기업의 지속가능성 또한 제고시킬 수 있으며 아래의 월마트의 지속가능전략 사례는 대기업과 중소기업의 지속가능한 성장을 가능하게 한 대표적 사례라고 볼 수 있다.

월마트는 구매가에 낮은 마진을 붙여 판매하는 전략으로 세계 최대 규모의 할인 매장으로 성장하였다. 그러나 저가 전략에 따른 대량 생산과 컨테이너, 대규모 선박을 이용한 대규모 유통시스템은 환경파괴를 야기하게 되었고, 결국 2000년대 중반 환경문제에 대한 소비자들의 비판이 거세지면서 기업 이미지가 크게 훼손되었다. 이에 월마트는 2005년 3대 지속가능전략인 폐기물 제로, 재생에너지 사용, 지속가능한 제품 판매 등을 발표하고 공유가치 창출을 위한 노력을 본격화했다. 지속가능전략의 한 예로, 월마트는 제품별 효율적인 포장기준을 개발하였고, 해당 기준의 준수 여부를 공급업체 선정에 반영함으로써 공급업체들의 포장재 감축을 유도했다. 제품에 대한 월마트의 포장기준 제시는 플라스틱의 가격 상승으로 인해 포장재 비용이 증가한 공급업체의 생산비용을 절감하는 결과를 가져왔다. 또한 제품 진열 횟수의 감소로 월마트는 재고 비용과 물류 비용을 절약할 수 있었다.

위 사례는 기업 활동으로 인해 발생하는 사회적 문제를 대기업과 중소기업이 어떻게 해결해야 하는지 그 방향을 제시해주며 CSR 활동이 대기업뿐만 아니라 중소기업에도 경쟁우위로 작용할 수 있다는 점을 보여준다.

| 중소기업의 CSR 활동 방향에 대한 제언 |

중소기업은 CSR을 단독으로 수행하기에는 인적·물적 자원이 한정되어 있으므로, 산업별로 중요한 비재무적 정보가 무엇인지 파악하고, 해당 정보에 초점을 맞춰 CSR을 수행해나갈 필요가 있다. 미국의 지속가능회계기준위원회 SASB, Sustainability Accounting Standards Board는 섹터 산업별로 중요한material 비재무적 정보를 분류한 중요성 지도materiality map를 '그림 2'와 같이 공시하고 있으며 색깔

이 진할수록 기업들에 중요한 비재무적 정보임을 의미한다. 따라서 국내 중소기업에서도 단기적이고 일차원적인 CSR 활동을 수행하기보다는 해당 기업에 중요한 비재무적 정보가 무엇인지 파악하여 해당 비재무적 정보에 초점을 맞추는 전략적인 CSR 활동을 수행해나갈 필요가 있다.

▨ 그림 2. SASB의 비재무 정보 중요성 지도

Sustainability Accounting Standards Board(http://www.sasb.org/)

또한 대부분의 중소기업은 대기업과 공급사슬로 얽혀 있는 관계이다. 따라서 중소기업을 둘러싼 이해관계자들의 기대와 요구를 반영한 CSR을 수행할 필요가 있다. 앞서 살펴보았던 월마트의 포장 기준에 따른 공급업체들의 포장재 감축 사례는 지속 가능한 발전을 위한 중소기업의 CSR 활동이 어떠한 방향으로 나아가야 하는지에 대해 잘 보여준다고 할 수 있다. 중소기업은 이해관계자들의 기대와 기업의 핵심가치를 연결할 수 있는 방향으로 CSR을 수행해야 할 것이다.

마지막으로, 자체 CSR 보고서의 발간도 중소기업의 지속가능한 성장에 도움이 될 것으로 판단된다. 지속가능경영원에 따르면 2016년 CSR 성과 보고서를 발간한 108개 기업 및 공공기관 가운데 중견 및 중소기업은 8개로 10.2%를 차지한 것으로 나타났다[6]. 이 중 중소기업이 발간한 CSR 보고서의 비율은 더욱 낮은 수준일 것으로 보인다. 따라서 중소기업의 CSR 성과정보가 부족한 상황에서 CSR 보고서의 자체 발간은 중소기업을 둘러싼 이해관계자들에게 유용한 정보를 제공함으로써 협력업체 선정이나 투자 의사결정에 긍정적으로 작용할 수 있을 것으로 본다.

　미래사회를 위한 기업의 지속 가능한 발전은 이제 모든 기업이 추구해나가야 할 핵심 가치 중 하나이다. 기업의 사회적 책임에 대한 전 사회적 요구는 계속해서 높아지고 있으며, 이에 국내 대기업 및 글로벌 기업들은 자사의 CSR뿐만 아니라 공급업체인 중소기업의 CSR 이행 기준도 강화하고 있는 상황이다. 실제로 중소기업에 CSR 정보를 요청하거나 CSR 기준 미달 시 수출 거래가 중단되는 등 CSR은 제품의 품질, 기업의 재무건전성 외의 새로운 평가 기준으로 그 중요성이 커지고 있다[3]. 따라서 국제적 수준의 CSR 이행은 한국 중소기업들의 제품 수출, OEM 등 글로벌 공급업체로서의 경쟁력을 갖추기 위한 필수 요소가 될 것으로 예상된다.

참고문헌

| 제1장 | 대기업 경쟁우위 확보를 위한 글로벌 경영

1.1 성공적인 해외시장을 위한 국제경영 역량과 조건

[1]   Ip, G. (2013). "The gated globe". *The Economist*, 12-18.

[2]   대한상공회의소 (2011). 『한국 중소기업 진로와 과제』.

[3]   Bartlett, C. A., & Ghoshal, S. (2002). *Managing across borders: The transnational solution*. Harvard Business Press.

[4]   World Bank Group. (2018). "Global Economic Prospects", January, Washington D.C.: World Bank.

[5]   Ichii, S., Hattori, S., & Michael, D. (2012). "How to win emerging markets: lessons from Japan". *Harvard Business Review*, 90(5), 126-130.

[6]   Prahalad, C. K., & Lieberthal, K. (1998). "The end of corporate imperialism". *Harvard Business Review*, July-August, 69-79.

[7]   Khanna, T., & Palepu, K. (2010). "Winning in emerging Markets: A road map for strategy and execution". Cambridge, MA: Harvard Business School Press.

[8]   HMG Journal (2014). "현대 · 기아자동차 동반성장 추진현황". 12월 30일, 현대 자동차그룹.

[9]   Holt, D. B., Quelch, J. A., & Tylor, E. L. (2004). "How global brands compete".

Harvard Business Review, September, 68–75.

[10]   Kim, L. (1997). *Imitation to innovation: The dynamics of Korea's technological learning*. Cambridge, MA: Harvard Business School Press; Ungson, G. R., Steers, R. M., & Park, S. (1997). *Korean enterprise: The quest for globalization*. Cambridge: Harvard Business School Press.

[11]   이홍 외 6인 (2015). 『K-매니지먼트: 기로에 선 한국형 기업경영』. 서울:클라우드 나인.

[12]   안봉술 (1998). "한 · 베트남 노총의 관계와 그 역할의 중요, 인권 · 노동 · 환경 보호를 위한 기업의 사회적 책임 국제워크숍". 참여연대.

[13]   Daamen, B., Hennart, J. F., Kim, D. J., & Park, Y. R. (2007). "Sources of and responses to the liability of foreignness: The case of Korean companies in the Netherlands". *Global economic review*, 36(1), 17–35.

[14]   강지훈 · 최순규 · 이승영 (2017). "한국적 경영 스타일이 태국 현지인 직원의 조직몰입에 미치는 영향". 『연세경영연구』, 54(2), 153–178.

[15]   에리크 쉬르데주 (2015). 『한국인은 미쳤다! LG전자 해외 법인을 10년간 이끈 외국인 CEO의 생생한 증언』. 서울: 북하우스.

[16]   한태상공회의소 (2011). 『태국 노동법과 노무관리』. Korean-Thai Chamber of Commerce.

[17]   Black, D. J. S., & Morrison, A. J. (1998). "LG Group: Developing tomorrow's global leaders". *Richard Ivey School of Business Case*, The University of Western Ontario.

[18]   신원동 (2007). 『삼성의 인재경영』. 파주: 청림출판.

[19]   Khanna, T. (2014). "Contextual intelligence", *Harvard Business Review*, September, 58–68.

1.2 한국기업 국제화 과정의 시대적 고찰 및 교훈

[1]   Olson, M. S., Van Bever, D., & Verry, S. (2008). "When growth stalls". *Harvard business review*, 86(3), 50.

[2]   박영렬 · 곽주영 · 양영수 (2011).『한국기업 해외직접투자 역사와 전략』. 경영사
        학, 59, 73-99.

[3]   박노영 (1999).『대우의 세계경영, 그 허상과 실상』. 경제와사회, 44, 172-206.

[4]   崔道成, & 朴哲洵. (1997). "대우의 신흥 시장 진출 전략-대우자동차의 동유럽
        진출 사례 개발".

[5]   이승관. "IMF 외환위기 20년···30대 그룹 중 19개 해체 · 탈락".『연합뉴스』.
        2017.11.01. http://www.yonhapnews.co.kr/bulletin/2017/10/31/0200000000A
        KR20171031198500003.HTML

[6]   이승현 · 이호욱 · 박종훈 (2007). "국내시장지배력 및 조직역량이 수출전략
        에 미치는 효과: 외환위기 후 급격한 환경변화의 조절적 역할".『국제경영연구』,
        18(1), 1-27.

[7]   금융위원회 (2011).『글로벌 금융위기 극복 백서』.

[8]   이용대 · 최종윤 (2018).『최근 해외직접투자의 주요 특징 및 영향』. 한국은행.

[9]   공정거래위원회 (2018). "2017년 기업결합 동향 및 주요 특징". 보도자료.
        2018.02.14.

1.3 지속적인 경쟁우위 창출을 위한 국제 R&D 전략

[1]   박지영 · 안덕근 (2017). 『아산 리포트: 기술혁신과 경제질서의 뉴 패러다임』.
        아산정책연구원.

[2]   Dereli, D. D. (2015). "Innovation management in global competition and
        competitive advantage". *Procedia - Social and Behavioral Sciences*, 195(3), 1365-
        1370.

[3]   Kuemmerle, W. (1997). "Building effective R&D capabilities abroad". *Harvard
        Business Review*, 75(2), 61-70.

[4]   Bartlett, C. A., & Beamish, P. W. (2013). *Transnational management*. McGraw-
        Hill Education.

[5]   Immelt, J. R., Govindarajan, V., & Trimble, C. (2009). "How GE is disrupting
        itself". *Harvard Business Review*, 87(10), 56-65.

[6]   복득규 · 이원희 · 최진영 · 강찬구 (2012). "한국기업의 Open & Global R&D 추진현황과 선도사례 분석". SERI 연구보고서.

[7]   한우덕. "[차이나 인사이트] 삼성폰 갤럭시는 왜 중국 점유율 20%서 2%로 추락 했나". 『중앙일보』. 2018.02.20. http://news.joins.com/article/22379842

[8]   Jaruzelski, B., Schwartz, K., & Staack, V. (2015). "The 2015 Global Innovation 1000: Innovation's new world order". 2015 Global Innovation 1000 study. https://www.strategyand.pwc.com/reports/2015-global-innovation-1000-media-report

[9]   Economist Intelligence Unit (2012). "Coming of age: Asia's evolving R&D landscape. An Economist Intelligence Unit report.

[10]   한국산업기술진흥협회 (2008). "국내기업의 해외 연구개발활동 현황조사".

[11]   Alcácer, J., & Zhao, M. (2012). "Local R&D strategies and multilocation firms: The role of internal linkages". *Management Science*, 58(4), 734-753.

[12]   Jha, S. K., Parulkar, I., Krishnan, R. T., & Dhanaraj, C. (2016). "Developing new products in emerging markets". *MIT Sloan Management Review*, 57(3), 54-62.

[13]   김형호. "한미약품 R&D의 숨은 힘⋯ 자체신약 개발하는 북경한미". 『한국경제』. 2016.06.27. "http://news.hankyung.com/article/2016062767901

[14]   Baier, E., Rammer, C., & Schubert, T. (2013). "The impact of innovation off-shoring on organizational adaptability". *ZEW Discussion Paper*, No. 13-109.

[15]   Lahiri, N. (2010). "Geographic distribution of R&D activity: How does it affect innovation quality?". *Academy of Management Journal*, 53(5), 1194-1209.

[16]   Bouquet, C., Birkinshaw, J., & Barsoux, J.-L. (2016). "Fighting the 'headquarters knows best' syndrome". *MIT Sloan Management Review*, 57(2), 59-66.

[17]   booz&co. & INSEAD (2006). "Innovation: Is global the way forward?".

[18]   Birkinshaw, J., & Hood, N. (2001). "Unleash innovation in foreign subsidiaries". *Harvard Business Review*, 79(3), 131-137.

[19]   Hill, C. W. L., Wee, C.-H., & Udayasankar, K. (2015). *International Business - Asia Adaptation*. McGraw-Hill Education.

[20]   최영철 (2017.06.09). "삼양그룹, 개방형 혁신으로 글로벌 R&D 기업 도약". 『주

간동아』1092호. http://weekly.donga.com/List/3/all/11/948329/1

[21] 이선애 "글로벌 R&D 통합 첫 작품… 오리온, 한 · 중 · 베 3國3色 파이 신 제품 출시". 『아시아경제』. 2017.10.17 http://www.asiae.co.kr/news/view. htm?idxno=2017101708374963805

[22] Schotter, A., & Teagarden, M. (2014). "Protecting Intellectual Property in China". *MIT Sloan Management Review*, 55(4), 41-48.

[23] Nandkumar, A., & Srikanth, K. (2016). "Right person in the right place: How the host country IPR influences the distribution of inventors in offshore R&D projects of multinational enterprises". *Strategic Management Journal*, 37(8), 1715-1733.

[24] 김범진. "현대차, 중국 현지 연구소 걱정되네… 기술 유출 가능성 배제 못 해". 『매일경제』. 2012.05.21. http://news.mk.co.kr/newsRead. php?year=2012&no=308038

[25] Zhao, M. (2006). "Conducting R&D in countries with weak intellectual property rights protection". *Management Science*, 52(8), 1185-1199.

[26] Di Minin, A., & Bianchi, M. (2011). "Safe nests in global nets: Internationalization and appropriability of R&D in wireless telecom". *Journal of International Business Studies*, 42(7), 910-934.

[27] 남수중 · 김현중 (2010). "중국 진출 국내 IT 중소기업 사례 분석". 정보통신산업진흥원 IT 부품 Monitoring Report, 10-02.

[28] 김정완 (2010.04.25). 중국 진출 중소기업, 75%가 기술유출에 속수무책.『보안뉴스』. http://www.boannews.com/media/view.asp?idx=20570

| 제2장 | 중소기업의 해외진출 전략과 글로벌 경영

2.1 한국 중소기업의 해외진출: 앞으로 전진과 글로벌 리더십을 위한 제언

[1] Organization for Economic Co-operation and Development (2015. 10).

"BetterPolicies" Secries Korea. OCED, Paris.

[2]   Department for Business Innovation & Skills (2015.10.14). Business Population Estimates for the UK and Regions 2015, The U.K. Government, Sheffield.

[3]   Caruso, A. (2015.02). Statistics of U.S. Businesses Employment and Payroll Summary: 2012, U.S. Census Bureau, Washington, DC.

[4]   중소벤처기업부 (2017). 2017 중소기업실태 조사결과 일반항목. http://www. kbiz.or.kr/user/nd47458.do?View&boardNo=00040751

[5]   Woods, C. (2013). Classifying South Korea as a developed market. http://www. ftse.com/products/downloads/FTSE_South_Korea_Whitepaper_Jan2013.pdf

[6]   Peterson, H. (2017.12.19). These 15 retailers could be the next to declare bankruptcy. Business Insider. http://www.businessinsider.com/retail-bankruptcies-expected-in-2018-2017-12

[7]   Retailers that have filed for bankruptcy in 2017 (2017.09.19). CBS. https://www.cbsnews.com/news/retailers-that-have-filed-for-bankruptcy-in-2017/

[8]   진병호 · 정재은 · 정소원 · 양희순 (2015). 『브랜드, 세계를 삼키다』. 서울: 이담 북스.

[9]   Hobday, M. (1994). "Export-led technology development in the four dragons: The case of electronics". *Development and Change*, 25(2), 333-361.

[10]   Lee, K., Song, J., & Kwak, J. (2015). "An exploratory study on the transition from OEM to OBM: Case studies of SMEs in Korea". *Industry and Innovation*, 22(5), 423-442.

[11]   Kumar, N., & Steenkamp, J-B. E.M. (2013). *Brand breakout how emerging brands will go global*. New York: Palgrave Macmillan.

[12]   Gereffi, G. (1994). "The organization of buyer-driven global commodity chains: How U.S. retailers shape overseas production networks". In G. Gereffi & M. Korzeniewicz (eds.), "Commodity chains and global capitalism". (96-122). Westport, Conn: Greenwood Presssqudgh.

[13]   Gereffi, G. (1999). "International trade and industrial upgrading in the apparel commodity chain". *Journal of International Economics*, 48(1), 37-70.

[14]   Jin, B., Kendagal, P. & Jung, S. (2013). "Evolution patterns of apparel brands in Asian countries: Propositions from an analysis of the apparel industry in Korea and India". *Clothing and Textiles Research Journal*, 31(1), 48-63.

[15]   Lee, J., & Wong, S. "There's a good chance your favorite clothes are made by a company you've never heard of". 『Bloomberg』. 2017.11.29. https://www.bloomberg.com/news/articles/2017-11-29/nike-and-zara-clothing-suppliers-are-building-their-own-brands

[16]   Jin, B., Chung, J.-E., Yang, H., & Jeong, S. W. (in press). "Entry market choices and post-entry growth patterns among born globals in consumer goods sectors". *International Marketing Review*.

[17]   김광석 · 심수경 · 박경진 (2016.05.). 『해외직구, 역직구 동향 분석; 해외직구를 넘어선 역직구』. 삼정 KPMG 경제연구원. https://assets.kpmg.com/content/dam/kpmg/pdf/2016/07/kr-issue- monitor-53.pdf

[18]   Fredrick, J. (2015). "Online retail cross-border sales: The global trend that's here to Sta". PFS Web. http://images.fedex.com/us/ecommerce/pdf/whitepaper.pdf.

[19]   이혜운. "그녀가 고른 동대문 옷, K패션이 되다".『조선일보』. 2018.02.23 http://news.chosun.com/site/data/html_dir/2018/02/02/2018020201538.html

[20]   이소아 · 김민상. "쇼핑몰 10곳 수출 3700억⋯ 한류 덕에 웃는 '역직구'"『중앙일보』. 2015.01.05. http://news.joins.com/article/16851168

[21]   김유태. "해외소비자 직접 겨냥해 영어 · 중국어 · 일본어로 개설 의류 · 액세서리 분야에 집중".『매일 경제』. 2017.03.17. http://news.mk.co.kr/newsRead.php?year=2017&no=183568

[22]   윤여훈. "해외 역직구 쇼핑몰, 동남아시아 주목하라".『ZDNet』. 2017.07.21. http://www.zdnet.co.kr/column/column_view.asp?artice_id=20170721110756

[23]   김영권. "이베이코리아 '대한민국 인터넷대상' 국무총리상 수상".『파이낸셜뉴스』. 2017.12.01. http://www.fnnews.com/news/201712050956165426

[24]   윤희석. "내달 '글로벌 11번가' 나온다. 세계 102개국 대상 해외 사업 나서".『ETNEWS』. 2017.08.24. http://www.etnews.com/20170824000076

[25]   민경종. "글로벌 롯데닷컴, 롯데百 인기 상품 28개국 직배송".『조세일보』.

2015.04.20. http://www.joseilbo.com/news/htmls/2015/04/20150420255263.html

[26] 이선애. "유통업 역직구로 살려라". 『이투데이』. 2014.12.01. http://www.etoday.co.kr/news/section/newsview.php?idxno=1029321

[27] 김성우. "인터파크 '중국인 전용' 어플리케이션 개설… '역직구 열풍 탓.'" 『헤럴드경제』. 2016.06.14. http://news.heraldcorp.com/view.php?ud=20160614000821

[28] 김현정. "[내수 살리는 新소비인간] 떴다 하면 박스로 구매…중국發 훈풍 이어질까". 『아시아경제』. 2016.02.14. http://view.asiae.co.kr/news/view.htm?idxno=2016011316433213241

[29] 배영윤. "삼성물산 패션, 온라인 통합몰 'SSF샵.' 새단장". 『머니투데이』. 2016.12.18. http://stylem.mt.co.kr/stylemView.php?no=2016101811384529988&type=1&ref=https%3A%2F%2Fsearch.naver.com\

[30] 박준호. "한국 이커머스 시장서 보폭 넓히는 알리바바… 국내 업체 '빨간불'". 『브릿지경제』. 2018.01.16. http://www.viva100.com/main/view.php?key=20180116010006157

[31] 최은시내. "글로벌마켓 진출, 역직구로 뚫어라!". 『패션인사이트』. 2014.05.16. http://www.fi.co.kr/mobile/view.asp?idx=46963

[32] 박미영. "한국상품 온라인 장터 '역직구' 서비스로 해외 공략". 『디지털 타임스』. 2015.03.02. www.dt.co.kr/contents.html?article_no=2015030202102376798001

[33] Turner, Z., Dalton, M., & Ma, W. (2018.02.09). "Bally, the high-end shoe brand, now in Chinese hands". The Wall Street Journal. https://www.wsj.com/articles/chinese-big-luxury-consumers-are-now-buying-luxury-companies-1518172500

[34] 유승호. "꼬리가 몸통 삼킨 '휠라', 신화 다시 쓴다". 『머니투데이』. 2007.04.11. http://news.mt.co.kr/mtview.php?no=2007041112404165602&outlink=1&ref=https%3A%2F%2Fko.wikipedia.org

[35] Ostillio, M. C., & Ghaddar, S. (2017). *Tod's: A global multi-brand company with a taste of tradition*. In B. Jin & E. Cedrola (Eds), Product innovation in the global

fashion industry, New York, NY: Palgrave Macmillan.

[36]   Ben-Shabat, H., Moriarty, M., Mukherjee, R., & Petrova, Y. (2017.06). "The 2017 Global Retail Development Index™ The age of focus". https://www.atkearney.com/documents/10192/12766530/The+Age+of+Focus%E2%80%93The+2017+Global+Retail+Development+Index.pdf/770c5a53-d656-4b14-bc6c-b0db5e48fdc1

[37]   Mauron, P., "WeChat & luxury fashion in 2017". *Luxurysociety*. 2017.03.07. https://www.luxurysociety.com/en/articles/2017/03/wechat-luxury-fashion-2017/

[38]   Chen, Y., "E-Wallets, unmanned stores and more: How retailers are innovating in Asia". *Digiday*. 2018.01.09. https://digiday.com/marketing/e-wallets-unmanned-stores-retailers-innovating-asia/

[39]   De la Merced. M. J., & Benner, K., "As department stores close, Stitch Fix expands online". *The New York Times*. https://www.nytimes.com/2017/05/10/business/dealbook/as-department-stores-close-stitch-fix-expands-online.html

[40]   『KBS 스페셜 축적의 시간: 1부 천재는 잊어라』. 조정훈 연출. 서울: KBS. 2017.07.21. [Television broadcast]. http://www.dailymotion.com/video/x5uc7uu

[41]   『뉴메이드인 코리아 시대 2편: 축적에서 길을 찾다』 조정훈 연출. 서울: KBS. 2017.03.05. [Television broadcast]. http://www.dailymotion.com/video/x5dybnw

2.2 해외시장에서 한국 중소기업의 브랜드 구축 전략

[1]   Aaker, D. A. (1991). *Managing brand equity*. New York: The Free Press.

[2]   Aildawadi, K. L., Lehmann, D., & Neslin, S. (2003). "Revenue premium as an outcome measure of brand equity". *Journal of Marketing*, 67(October), 1-17.

[3]   정인식 · 김은미 (2011). "글로벌 시장의 브랜드 전략에 대한 실증 연구". 『국제경영연구』, 15(1), 99-123.

[4]   김귀옥 · 배정한 (2007). "우리나라 중소 OEM 수출기업의 ODM 수출기업으로의 발전전략에 관한 연구-사례분석을 중심으로".『무역상무연구』, 33, 311-343.

[5]   신윤천 (2013). "B2B도 브랜딩은 중요하다".『마케팅』, 47(9), 28-37.

[6]   Aaker, D., & Joachimsthaler, E. (2000). "The brand relationship spectrum: The key to the brand architecture challenge". *California Management Review*, 42(4), 8-23.

[7]   Gabrielsson, M. (2005). "Branding strategies of born globals". *Journal of International Entrepreneurship*, 3(3), 199-222.

[8]   Spence, M., & Essoussi, L. H. (2010). "SME brand building and management: An exploratory study". *European Journal of Marketing*, 44(7/8), 1037-1054.

[9]   Kapferer, J.-N. (1997). Strategic Brand Management: *Creating and Sustaining Brand Equity Long Term*. Dover: Kogan Page.

[10]   Keller, K. L. (1993). "Conceptualizing, measuring, and managing customer-based brand equity". *Journal of Marketing*, 57(1), 1-22.

[11]   이유재 · Rajeev, B. (1996). "한국기업의 해외시장에서의 브랜드구축에 관한 연구: 선진국 시장을 중심으로".『한국마케팅저널』, 1(3), 79-108.

[12]   신형원 외 4인(2009).『브랜드 약자의 브랜드 전략-중소기업 사례를 중심으로』. 삼성경제연구소 보고서.

[13]   De Chernatony, L., Harris, F., & Dall'Ollmo Riley, F. (2000). "Added value: Its nature, roles and sustainability". *European Journal of Marketing*, 34(1/2), 39-56.

[14]   Gabrielsson, P., Gabrielsson, M., & Seppälä, T. (2012). "Marketing strategies for foreign expansion of companies originating in small and open economies: the consequences of strategic fit and performance." *Journal of International Marketing*, 20(2), 25-48.

[15]   Levitt, T. (1983). "The globalization of markets." *Harvard Business Review*, 62(May/June), 92-102.

[16]   정재은 · 진병호 · 정소원 (2015). "자사브랜드부착 수출중소기업의 수출마케팅 전략이 수출성과에 미치는 영향: 산업재와 소비재 중소기업간의 비교연구".『기업경영연구』, 22(2), 131-151.

[17]   김귀곤 (2010). "중소기업의 현지 브랜드 개발과 컨설팅 프레임워크: 정부지원 프로그램을 중심으로".『한국산학기술학회논문지』, 11(5), 1845-1855.

[18]   Kapferer, J. (2002). "Is there really no hope for local brands?" *Journal of Brand Management*, 9(3), 163-170.

[19]   Schuiling, I., & Kapferer, J. N. (2004). "Executive insights: Real differences between local and international brands: strategic implications for international marketers". *Journal of International Marketing*, 14(4), 97-112.

[20]   Krake, F. B. G. J. M. (2005). "Successful brand management in SMEs: a new theory and practical hints". *Journal of Product & Brand Management*, 14(4), 228-238.

[21]   진병호 · 정재은 · 정소원 · 양희순 (2015).『브랜드, 세계를 삼키다』. 파주: 이담북스.

[22]   이유림 · 정재은 · 정소원 (2017). "수출중소기업의 시장지향성, 브랜딩역량 및 신제품개발역량이 수출시장에서의 경쟁우위에 미치는 영향".『국제경영연구』, 28(3), 69-100.

[23]   Aaker, J. (1997). "Dimensions of brand personality." *Journal of Marketing Research*, 34(2), 347-380.

[24]   Abimbola, T. (2001). "Branding as a competitive strategy for demand management in SMEs". *Journal of Research in Marketing & Entrepreneurship*, 3(2), 97-106.

[25]   정민지 · 정재은 · 양희순 (2018). "한류 및 한국 화장품의 제품이미지가 해외 직접구매의도에 미치는 영향: 중국 소비자를 대상으로".『소비자학연구』, 29(1), 55-82.

[26]   Wong, H. Y., & Merrilees, B. (2005). "A brand orientation typology for SMEs: a case research approach." *Journal of Product & Brand Management*, 14(2/3), 155-162.

[27]   한상설 · 정윤세 (2013). "내부역량 및 수출지원정책 그리고 해외네트워크 역량이 신속한 국제화에 미치는 영향 연구: 기업유형 조절변수로".『무역학회지』, 38(1), 173-197.

[28]   Huck, J., & Rennhak, C. (2013). "Branding strategies of early-stage born globals: A theoretical framework". *Journal of Business and Management*, 2(6), 1-15.

[29]   Chung, J. E., Jin, B. H., Jeong, S. W., & Yang, H. S. (2017). NIE-based SMEs' brand building in foreign markets: An exploratory study (Working Paper).

[30]   김충현 (2017). "탐방노트: 긴 호흡이 필요하다". 미래에셋대우 보고서 Issue Comment. https://www.miraeassetdaewoo.com/bbs/maildownload/2017082421542047_138

[31]   Knight, G. A., & Cavusgil, S. T. (1996). "The born global firm: A challenge to traditional internationalization theory. In S. T. Cavusgil and T. Madsen (eds.)." *Advances in International Marketing*, 8, 11 – 26.

[32]   김형석 (2013). "국내 제품 중국 시장 현지화를 위한 브랜드 개발-헤어 케어 시장 ㈜주신 브랜드 사례를 통한 브랜드 개발방법 제시". 『한국디자인포럼』, 41, 29-42.

[33]   정인식 · 변정희 · 초수봉 (2009). "국제마케팅 전략의 표준화와 기업성과 관계에 관한 연구". 『마케팅논집』, 17(1), 87-114.

| 제3장 | 글로벌 CSR과 상생적 파트너십

3.1 국제적 CSR의 필요성과 전략

[1]   Hymer, S. (1976). *The International operations of national firms: A study of foreign direct investment*. Cambridge, MA: MIT Press.

[2]   Zaheer, S. (1995). "Overcoming the liability of foreignness". *Academy of Management Journal*, 38(2), 341-363.

[3]   Crilly, D., Ni, N. & Jiang, Y. (2016). "Do-no-harm versus do-good social responsibility: Attributional thinking and the liability of foreignness". *Strategic Management Journal*, 37(7), 1316-1319.

[4]   Carroll, A. B. (1991). "The pyramid of corporate social responsibility: Toward the moral management of organizational stakeholders". *Business horizons*, 34(4), 39-48.

[5]   Friedman, M. (1970). "The Social Responsibility of Business is to Increase its Profits". *The New York Times*, September 13.

[6]   Porter, M. E. & Kramer, M. R. (2006). "Strategy and society: The link between competitive advantage and corporate social responsibility". *Harvard Business Review*, December, 78-92.

[7]   Park, Y. R., Song, S., Choe, S. & Paik, Y. (2015). "Corporate social responsibility in international business: Illustrations from Korean and Japanese electronics MNEs in Indonesia". *Journal of Business Ethics*, 129(3), 747-761.

[8]   강지훈 · 최순규 · 유경태 (2016). "한국 기업의 글로벌 CSR 표준화 결정요인". 『무역연구』, 12(2), 339-353.

3.2 해외진출을 위한 유통대기업과 중소기업의 상생적 글로벌 파트너십

[1]   문상현. "CEO 라이벌 열전, 쇼트트랙보다 치열한 선두다툼 '홈쇼핑 빅3'". 『비즈한국』. 2018.02.21. http://www.bizhankook.com/bk/article/14915

[2]   유현희 · 김보라. "유통 2018 전망, 쑥쑥 크는 온라인몰 100조 매출". 『브릿지경제』. 2018.01.10. http://www.viva100.com/main/view.php?key=2018010901000 3131

[3]   최성진. "해외 홈쇼핑 중기 판로 지원책 마련해야". 『디지털타임스』. 2018.02.21. http://www.dt.co.kr/contents.html?article_no=2018022202102351607001&ref =naver

[4]   박정은 · 지세윤 (2016). "국내 유통업계의 해외동반진출 현황 및 대 · 중소기업 해외동반진출 확대 방안 모색". 『유통연구』, 21(2), 153-176.

[5]   윤정근 외 4인 (2013). "한국형 동반성장 모델구축에 관한 실증 연구". 『유통과학연구』, 11(12), 13-23.

[6]   롯데홈쇼핑 홈페이지 www.lotteimall.com

[7]   김혜림. "롯데홈쇼핑, 스타트업 · 中企와 '윈윈성장'". 『국민일보』. 2017.12.25.

http://news.kmib.co.kr/article/view.asp?arcid=0923872878&code=11151600&c
p=nvhttp://news.kmib.co.kr/article/view.asp?arcid=0923872878&code=111516
00&cp=nv

[8]   이성원. "롯데홈쇼핑 해외시장개척단, 국내 中企-해외 유통업체 연결 앞장". 『한
       국일보』. 2017.10.22. http://www.hankookilbo.com/v/4638fe4398cb4b79b81ee
       99f6beaf21e

[9]   이호준. "롯데홈쇼핑, 민간기업 첫 코트라와 대만 한류상품 박람회". 『경향신문』.
       2017.06.28. http://news.khan.co.kr/kh_news/khan_art_view.html?artid=201706
       281025005#csidx3d1d9d869f1e41ba6685b6c544a8493

[10]   CJ오쇼핑 홈페이지 http://www.cjoshopping.com

[11]   오승주. "홈쇼핑업계, '상생'·'해외개척'으로 불황돌파". 『머니투데이』.
       2016.10.21. http://news.mt.co.kr/mtview.php?no=2016102014350572663&out
       link=1&ref=https%3A%2F%2Fsearch.naver.com

[12]   최병태. "상생 경영 특집, CJ오쇼핑, 중소기업 해외시장 진출 지원, 홈쇼핑 한류
       이끌어". 『경향비즈』. 2016.11.29. http://biz.khan.co.kr/khan_art_view.html?artid
       =201611292007025&code=920509

[13]   신정수. "수출, 이젠 가치창출이 핵심이다". 『디지털타임스』. 2017.06.12. http://
       www.dt.co.kr/contents.html?article_no=2017061302102269817001

[14]   오은선. CJ오쇼핑, "ASEAN 진출 도와드려요". 『파이낸셜뉴스』. 2017.08.28.
       http://www.fnnews.com/news/20170828084913072

3.3 한국 대기업과 중소기업의 CSR와 지속가능성

[1]   문성화 · 양대권 (2014). "협력사와 동반성장 공급망 CSR 중요해졌다". 『주간동아』, 964, 43-45.

[2]   중소기업청 (2007). 『기업의 사회적책임(CSR) 경영 구축 지원방안』.

[3]   김진우 (2017). "중소기업의 수출 장벽으로 부상하는 사회적 책임(CSR)". 『중소기업 CEO REPORT』, 148, 34-37.

[4]   중소벤처기업부 (2017). 『2017 중소기업실태조사결과 - 제조업』. https://www.kbiz.or.kr/user/nd47458.do?View&boardNo=00040751

[5]   오덕교 (2012). "중소 · 중견기업의 ESG 현황분석". 『기업지배구조 리뷰』, 65, 70-80.

[6]   지속가능경영원 (2017). 『2016년 국내 지속가능경영보고서 발간 현황』. http://www.bisd.or.kr/pds/pds_02_01.asp

[7]   최현정 · 문두철 (2013). "기업의 사회적 책임활동과 회계투명성간의 관계". 『회계학연구』, 38(1), 135-171.

[8]   김령 외 3인(2016). "사회적 책임 활동과 기업가치 간의 관계에 대한 국제비교: 한국과 중국시장을 배경으로". 『회계저널』, 25(5), 67-122.

[9]   김정옥 · 신유진 (2015). "토빈의 Q로 측정한 사회적 책임활동의 장기효과 및 사외이사제도의 역할". 『회계저널』, 24(6), 277-311.

[10]   Choi, J. S., Kwak, Y. M., and Choe, C. (2010). "Corporate social responsibility and corporate financial performance: Evidence from Korea". *Australian Journal of Management*, 35(3), 291-311.

[11]   여영준 · 최순재 · 권오진 (2015). "산업 내 경쟁에 따른 경쟁전략으로써의 CSR 활동의 선택과 기업의 재무성과간의 관련성 연구: 시장유형별 분석을 중심으로". 『회계학연구』, 40(4), 1-37.

[12]   천미림 · 유재미 (2013). "기업의 사회적 책임활동이 기업 재무성과에 미치는 영향 - CSR활동의 실행동기(motive)와 몰입(commitment)의 조절효과를 중심으로". 『경영학연구』, 42(5), 1159-1185.

[13]   Francis, J., Nanda, D., and Olsson, P. (2008). "Voluntary Disclosure, Earnings Quality, and Cost of Capital". *Journal of Accounting Research*, 46(1), 53-97.

[14]   Lambert, R., Leuz, C., and Verrecchia ,R. (2007). "Accounting Information, Disclosure and Cost of Capital". *Journal of Accounting Research*, 45(2), 385-420.

[15]   Verrecchia, R. (1983). "Discretionary Disclosure". *Journal of Accounting and Economics*, 5, 179-194.

[16]   김선화 (2015). "기업규모와 자산효율성에 따른 CSR활동과 타인자본비용과의 관련성".『세무와회계저널』, 16(2), 9-43.

[17]   나영·임욱빈·김명서 (2013). "ESG 정보와 타인자본비용의 관련성에 대한 실증연구".『회계정보연구』, 31(1), 453-487.

[18]   이윤경·고종권 (2013). "기업의 사회적 책임이 내재자본비용과 정보비대칭에 미치는 영향".『회계저널』, 22(5), 159-193.

[19]   천미림 (2012). "기업의 사회적 책임활동이 자기자본비용에 미치는 영향".『회계정보연구』, 30(4), 289-312.

[20]   김선화·정용기 (2013). "기업의 사회적 책임활동과 실제이익조정".『세무와회계저널』, 14(6), 227-259.

[21]   신진교·조정일 (2011). "중소기업의 사회책임경영(CSR)이 경영활동과 기업성과에 미치는 영향".『중소기업연구』, 33(1), 103-119.

[22]   염성수·최문기·이도희 (2017). "중소기업의 CSR활동과 CSR성과의 관계분석 - CSR제약요인의 매개효과를 중심으로".『경영경제연구』, 39(2), 43-66.

[23]   황호찬 (2007). "중소기업의 사회적 책임에 관한 연구: 기업규모 및 이해관계자의 영향을 중심으로".『중소기업연구』, 29(2), 229-243.

[24]   윤진수 (2013). "중소기업의 사회적 책임(CSR) 활성화를 위한 제언".『CGS Report』, 3(6), 2-7.

[25]   김성식·이영면 (2017). "중소기업의 사회적 책임 추진현황과 과제".『중소기업연구』, 39(2), 109-137.

[26]   이규홍 외 4인 (2011).『흡입독성분야 중장기 연구전략마련』, 국립환경과학원. http://webbook.me.go.kr/DLi-File/NIER/06/013/5511653.pdf

[27]   중소벤처기업부 (2016).『사회적책임경영 중소기업 육성 기본계획 (2017~2021) - CSR 생태계 조성을 통한 지속가능형 중소기업 확산』. http://www.mss.go.kr/site/smba/ex/bbs/View.do?cbIdx=86&bcIdx=57450

[28]   전국경제인연합회 (2006). 『우리 기업의 윤리경영 추진 현황과 과제』.
        http://www.fki.or.kr/FkiAct/Promotion/Report/View.aspx?content_
        id=a6b22501-ebaa-482d-a0d7-8bfc003ad7cc

저자 소개

최순규

연세대학교 경영대학 교수로 재직 중이다. 국제경영과 전략을 전공하였으며 한국기업의 해외진출전략, 재벌기업의 다각화와 구조조정, 국제적 지식이전과 활용, 신흥시장 진출 전략, 한국기업의 국제적 사회적 책임 등 다양한 주제에 대해 활발한 연구를 수행해 왔다. 그에 따른 연구성과를 경영학 분야의 국제적인 최고 저명 학술지인 『Academy of Management Review』, 『Journal of International Business Studies』, 『Jounal of Business Ethics』를 포함한 해외 SSCI급 학술지에 8편의 논문을 게재하였고, 국제경영과 전략에 관한 6편의 저 · 역서를 출판하였으며, 36편의 논문을 국내 학술지에 발표하였다.

정재은

성균관대학교 사회과학대학 부교수로 재직 중이다. Ohio State University에서 교수를 역임하였으며, 중소기업 국제화, 국제경영-마케팅 및 유통관리, 국제 소비자 연구 등 다양한 주제에 대해 활발한 연구를 수행해 왔다. 총 2편의 저서와 45편의 논문을 게재하였고, SSCI급 학술지에 15편의 논문을 게재하였다. 또한 Ohio Agriculture Research Development Center에서 지원하는 중국 소비시장에 관한 프로젝트에서 책임연구자로서 성공적으로 팀을 이끈 바 있다.

진병호

미국 University of North Carolina at Greensboro 석좌교수로 재직 중이다. 주요 연구 분야는 중소기업 국제화, 유통 및 국제 소비자 행동이다. 현재 111개 이상의 연구논문과 132편 이상의 학술 논문 발표, 2권의 저서와 더불어 미국 Palgrave McMillan 출판사와 글로벌 브랜드 관리에 관한 3권의 책을 출판하였다. 미국 교육부, 농림부 등 연방정부로부터 중국, 인도, 베트남 등의 신흥국 산업에 대한 연구 프로 프로젝트를 연구책임자로서 성공적으로 수행하였다. 이탈리아 University of Macerata와 사우디아라비아의 King Saud University에 초빙교수로 초대되는 등 글로벌 전문가로서 활발한 활약을 하고 있다. 현재 대한상공회의소 자문위원 및 주요 학술지 등에 Associate editor를 역임하고 있다.

박영렬

연세대학교 경영대학 교수로 재직 중이다. 연세대학교 동서문제연구원장, 경영대학 학장 겸 경영전문대학 원장, 한국국제경영학회 회장, 한국경영사학회 회장을 역임하였으며 현재는 한국경영교육인증원 원장을 맡고 있다. 『Management Science』, 『Strategic Management Journal』 등 세계적인 경영학 저널에 논문을 게재하였으며, 주요 SSCI급 학술지에 다수의 논문을 게재하였다. 국제경영전략, 국제마케팅, 경영사 분야의 교육과 연구를 하고 있다.

문두철

연세대학교 경영대학 교수로 재직 중이다. 현재 글로벌교육원 원장을 맡고 있다. 자본시장, 기업지배구조, 기업의 사회적 책임 활동, 공공기관 연구의 전문가이다. 현재 한국회계정보학회 부회장과 중소기업학회 이사로 활동 중이며, 한국경영학회와 한국회계학회에서 임원을 역임하였다. 또한 금융감독원 회계제도실의 초빙교수와 한국조세재정연구원 초빙연구위원을 역임하였으며, 회계학연구의 편집위원으로 활동하고 있다. 현재까지 『The Accounting Review』 등의 SSCI급 학술지에 총 9편의 논문을 게재하였다.

정소원

상명대학교 의류학과 조교수로 재직 중이다. 주요 연구 분야는 중소기업 국제화, 마케팅 및 유통관리, 소비자 행동이다. 총 1편의 저서와 『Asian Business & Management』, 『International Entrepreneurship and Management Journal』를 포함한 해외 SSCI급 학술지에 4편의 논문을 게재하였고, 20편의 논문을 국내외 학술지에 발표하였다. 현재 한국의류학회 및 복식문화학회 마케팅 분과 편집위원으로 활동 중이다.

양희순

패션 머천다이징을 전공하였으며, 현재 '한국기업의 경쟁력, 상생 그리고 글로벌 리더십' SSK 연구단의 전임연구원으로 재직 중이다. 중소기업의 국제화, 글로벌 소비자 행동 연구 및 마케팅을 주요 주제로 연구활동을 하고 있으며, 2편의 저서와 35편의 논문을 국내외 학술지에 게재하였다.

문희진

기술경영을 전공하였으며, 현재 '한국기업의 경쟁력, 상생 그리고 글로벌 리더십' SSK 연구단의 전임연구원으로 재직 중이다. 조직학습과 혁신, 그리고 기업의 지식재산권 전략을 주요 주제로 연구활동을 하고 있으며, 15편의 논문을 국내외 학술지에 게재하였다.

강지훈

연세대학교 박사과정에 재학 중이다. 부산대학교에서 무역학을 전공하였다. 현재 국제경영 전공으로 박사과정을 수료하였다.

정민지

성균관대학교 박사과정에 재학 중이다. 한국외국어대학교에서 산업경영공학을 전공하고, 성균관대학교에서 소비자학 석사 학위를 받았다. 현재 소비자학 전공으로 박사과정을 수료하였다.

최병철

연세대학교 박사과정에 재학 중이다. 연세대학교에서 경영학을 전공하고 삼일회계법인 소속 공인회계사로 약 8년간 근무하였다. 연세대학교 경영학 석사 학위를 받았다. 현재 회계학 전공으로 박사과정을 수료하였다.

백유진

연세대학교 박사과정에 재학 중이다. 연세대학교에서 사회학을 전공하고 지역학협동과정 동남아지역학 석사 학위를 받았다. 현재 국제경영 전공으로 박사과정을 이수 중이다.

변정윤

연세대학교 박사과정에 재학 중이다. 연세대학교에서 경영학을 전공하고, 연세대학교에서 경영학 석사 학위를 받았다. 현재 회계학 전공으로 박사과정을 이수 중이다.

이유림

성균관대학교 박사과정에 재학 중이다. 성균관대학교에서 소비자가족학을 전공하고 동 대학원에서 석사 학위를 받았다. 현재 소비자학 전공으로 박사과정을 이수 중이다.